Fien in de hoofdrol

Harmen van Straaten

Illustraties van Georgien Overwater

Pimento

www.pimentokinderboeken.nl
www.harmenvanstraaten.nl
www.deillustratiestudio.nl

Omslagontwerp Petra Gerritsen
Opmaak binnenwerk ZetSpiegel, Best

ISBN 978 90 499 2294 8
NUR 282

Pimento is een imprint van FMB uitgevers,
onderdeel van Foreign Media Group

Inhoud

Oost west, thuis best

Fien zit op het hekje tegenover de tijdschriftenwinkel. Het is woensdagmiddag. Ze verveelt zich.

Ze springt van het hekje en trapt een berg afgevallen blaadjes weg.

Langzaam loopt ze in de richting van de Transvaalstraat. Daar woont ze met haar vader, moeder en broer Bert. Haar moeder werkt bij de C1000. Eerst was ze vakkenvuller, maar nu is ze chef van de zuivel. Ze heeft het altijd koud. Dat komt door de koeling. Papa wrijft altijd haar handen warm als ze thuiskomt.

Eerst had papa geen baan, maar nu is hij buschauffeur.

Misschien gaan ze dit jaar op vakantie, heeft mama gezegd. Wie weet kan dat er weer van af.

'Kan er ook een auto met afstandsbediening van af?' vroeg Fien toen.

Haar vriend Sjoerd heeft er een gekregen voor zijn verjaardag. Bert heeft er ook een, maar daar mag zij niet aan komen. Eerst wilde ze een Juwelenbarbie, zoals die van Peggy. Maar die hoeft ze nu niet meer.

Van de Juwelenbarbie kun je alleen maar de benen buigen. Zo'n auto met afstandsbediening kan veel meer.

Fien is al bijna bij de Transvaalstraat als ze Peggy ziet lopen met haar moeder. Peggy houdt een mand in haar armen.

Fien rent naar haar toe. 'Wat zit er in die mand?' vraagt ze.

'Zeg ik lekker niet,' zegt Peggy.

Maar Fien ziet al dat er een groot wit konijn in zit.

De moeder van Peggy trekt aan haar sigaret. 'Misschien kun je even doorlopen,' zegt ze tegen Fien. 'We hebben haast, we gaan naar de dierenshow. Die is al weken uitverkocht, geen kaartje meer voor te krijgen,' zegt ze er snel achteraan.

Fien staart naar het konijn. Het heeft lange witte haren.

'Het is een angorakonijn,' zegt Peggy, 'heel erg zeldzaam.'

'Ik vind het net de muts van de majorettes,' zegt Fien. 'Misschien kun je hem op je kop zetten.' Papa heeft gezegd dat Peggy's witte muts op een opgezette poedel lijkt.

De moeder van Peggy verslikt zich in de sigarettenrook. Ze loopt rood aan. Dan trekt ze Peggy met zich mee.

Peggy tikt met haar vinger tegen haar voorhoofd.

Fien krabt aan haar rug. Net alsof ze jeuk heeft. 'Volgens mij heeft jouw konijn hoofdluis,' roept ze Peggy na.

Fien loopt verder de Transvaalstraat in. Misschien is Sjoerd thuis.

Ze belt aan en Sjoerd doet open.

'Hoi,' zegt hij.

'Hoi,' zegt Fien. 'Zullen we wat gaan doen?'

'Wat dan?'

'Naar het piratenschip achter de school met het grote monster.'

'Ik heb vandaag niet zo'n zin in piraten,' zegt Sjoerd

snel. 'Mijn moeder gaat naar de dierenshow. Ze moet er een stukje over schrijven voor de krant.'

'Mag ik mee?'

'Ik zal het even vragen.' Sjoerd rent naar boven.

Even later komt hij terug. 'Het mag.'

'Peggy is er ook met haar gore konijn,' zegt Fien.

Sjoerd houdt zijn neus dicht. 'Dan wint ze vast geen prijs. Wie geeft er nu een prijs aan een stinkkonijn?'

Fien denkt na. 'Ik moet heel even naar huis, ik ben zo terug.'

Nog geen tien minuten later komt ze hijgend teruggerend.

'Wat moest je nou doen?' vraagt Sjoerd.

'Ssst,' zegt Fien. Ze houdt haar armen voorzichtig om haar jas.

'Wat heb je daaronder?'

Fien doet haar jas van boven een beetje open.

Sjoerd ziet een plastic zakje met water en een goudvis. 'Wat moet je daar nou mee?'

'Meedoen met de dierenshow.'

De moeder van Sjoerd komt ook de trap af.
'Niks zeggen,' fluistert Fien.
Met zijn drieën lopen ze naar de bus.

Ze staan voor de ingang van Astoria Cultureel Centrum. Er staat een lange rij mensen te wachten.
'Gelukkig dat we mogen doorlopen,' zegt de moeder van Sjoerd. 'De pers hoeft niet te wachten.'
Dan ziet Fien Peggy en haar moeder. Ze zwaait. 'Wij hoeven niet te wachten. Wij zijn van de pers!' roept ze naar Peggy.
Opeens voelt ze iets naar beneden glijden en voor ze het weet valt de zak met water en de goudvis met een klap op de grond. Het zakje is opengebarsten en de goudvis spartelt op de grond.
Sjoerd probeert hem te pakken, maar de goudvis glibbert tussen zijn vingers door.
'Hebbes,' zegt Fien als ze hem eindelijk te pakken heeft.
Ze rent naar de deur. 'Alarm!' roept ze. 'Alarm!'
De portier wil haar niet binnenlaten. 'Eerst je kaart laten zien.'
De moeder van Sjoerd is nu ook bij de ingang. Ze laat haar perskaart zien.

De portier doet met tegenzin de deur open.

Fien rent naar binnen. ‘Help, mijn goudvis verzuipt op het droge.’

De moeder van Sjoerd rent vooruit. Ze wijst naar de wc’s.

Daar zit een mevrouw achter een tafeltje.

‘Hebt u een bekertje voor mijn visje?’ vraagt Fien met trillende stem.

Ze voelt het visje al bijna niet meer bewegen.

De mevrouw haalt de bloemen uit een glazen vaasje.

Fien laat haar vis erin glijden.

Sjoerd, Fien, de moeder van Sjoerd en de wc-mevrouw kijken naar de vaas. De vis doet niet veel. Hij ligt nog net niet op zijn rug.

‘Voor een goudvis ziet hij een beetje bleekjes,’ zegt de wc-mevrouw.

Dat komt van iets anders, wil Fien zeggen.

Toen ze een keer de kom wilde schoonmaken, had ze er per ongeluk warm water in gedaan. Sindsdien heeft het visje nooit meer zijn oranje kleur teruggekregen. Maar dat kan ze nu maar beter niet vertellen, denkt ze.

'Ga eens bij die vaas staan,' zegt Sjoerds moeder tegen Fien en Sjoerd. Ze pakt een camera uit haar tas.

'Misschien wilt u er ook wel bij staan?' vraagt ze aan de wc-mevrouw.

Die doet gauw wat rode lippenstift op. Ze trekt een raar mondje als de foto wordt gemaakt.

Dat doet mama ook altijd, denkt Fien. Vrouwen trekken vaak rare mondjes als ze op de foto gaan.

Fien doet de mevrouw na. Die kijkt Fien aan.

'Is er wat?' vraagt ze.

Fien schudt haar hoofd. 'Ik trek gewoon mijn fotomondje.'

'Je bent me er eentje,' zegt de wc-mevrouw.

'Dat vindt mijn mama ook. Zij zegt altijd: Fien telt voor tien.'

'Ik kan ook een raar mondje doen!' roept Sjoerd. Hij doet een konijn na.

'Pas op,' zegt Fien lachend, 'zo dadelijk win je het nog van Peggy's konijn.'

'Hij zwemt weer!' roept de wc-mevrouw.

De moeder van Sjoerd kijkt op haar horloge. 'Mag die vis hier even blijven staan? We moeten snel een rondje lopen. Ik moet nog een stukje schrijven voor de krant. Het is mijn eerste opdracht, weet u.'

De wc-mevrouw knikt.

'Kan mijn visje nu niet meedoen?' vraagt Fien.

'Laat hem maar even tot rust komen,' zegt Sjoerds moeder. 'Ik denk dat hij iets anders aan zijn hoofd heeft.'

Fien en Sjoerd lopen achter haar aan.

Overal zijn mensen in de weer. Poedels worden geborsteld, katten gekamd. Er worden zelfs parkietjes met watjes schoongemaakt.

Dan ziet Fien Peggy met haar moeder lopen. Ze tikt Sjoerd tegen zijn arm. 'Kom,' fluistert ze.

Ze sluipen dichterbij.

'Natuurlijk gaan we winnen, dat konijn heeft veel geld gekost,' zegt Peggy's moeder. 'En als mama wil dat je gaat winnen, wat gebeurt er dan?'

'Dan ga ik winnen,' horen ze Peggy zeggen. 'Ik heb haar helemaal vol met haarlak gespoten.'

'Heel goed,' zegt haar moeder weer. 'Dat beest heeft wat gekost, maar daar heb je ook wat voor.'

Ze gaan bij een tafel staan. Daar staat een man in een witte jas.

Fien en Sjoerd gaan ook bij de tafel staan.

'Horen zij bij u?' vraagt de man.

'O, nee!' zegt de moeder van Peggy wild gebarend.

Fien doet een konijn na. Sjoerd ook.

'Gore konijnen stinken!' roept Fien.

Sjoerd houdt nu ook zijn neus dicht.

'Nietes!' roept Peggy. 'Het is een angorakonijn. Mama heeft er ook truien van. Die zijn heel erg duur.'

'Dierenbeul!' roept Sjoerd.

De man houdt zijn neus bij het konijn. 'Wat hebt u erop gespoten?'

'Gewoon een beetje haarlak.'

De man geeft het konijn terug. 'Het spijt me, dat mag niet.'

'Van wie niet?'

'Zo zijn de regels hier.'

De moeder van Peggy pakt het konijn aan.

'Je wordt bedankt,' zegt Peggy boos tegen Fien.

'Alsjeblieft,' zegt Fien.

'Hebben jullie ook een dier?' vraagt de man.
'Mijn visje,' zegt Fien. 'Maar die staat nu bij de wc-mevrouw, want de zak met water was geknapt. En laatst had ik hem ook al in warm water gedaan.'
De man probeert zijn lachen in te houden.
'Mama zegt dat mijn visje kampioen in leven blijven is,' zegt Fien nog.
'Jouw mama heeft gelijk,' zegt de meneer. 'Ik denk dat jouw visje voortaan beter thuis kan blijven.'
'Dat denk ik ook,' zegt Fien. 'Oost west, thuis best.'

De weg kwijt

Fien blaast in haar handen, het is best wel koud.

Sjoerd is uit logeren en Bert is naar het verjaardagspartijtje van zijn vriend Mark.

Wat zal ik nu eens gaan doen? denkt ze.

In de verte ziet ze Peggy. Ze praat met Susan. Die kent ze van de majorettes.

Fien loopt naar hen toe. 'Wat zijn jullie aan het doen?'

'Zeggen we niet,' antwoordt Susan.

'Ik wil het niet eens weten,' zegt Fien.

'Wel waar!' roept Peggy. 'Je wilt het wel weten. Wij gaan hinkelen. We tekenen eerst met krijt de vakken en dan gaan we hinkelen. Met zijn tweeën.'

'Pft,' zegt Fien. 'Hinkelen is voor kleine meisjes.'

'Je kan niet eens hinkelen,' zegt Peggy.

'Welles!' roept Fien.

'Nietes!' gilt Peggy. 'Laat dan eens zien.'

Fien wijst naar haar knie. 'Ik doe het niet omdat ik

voetbalknieën heb. Papa heeft ze ook en mama heeft ze in haar ellebogen. Daarom hoeft ze nu geen vakken meer te vullen bij de C1000.'

'Fien kan niet hinkelen,' zingen Susan en Peggy nu pesterig.

Fien gaat voor Peggy staan. 'Jij kan de staf van de majorettes niet goed vangen. Dat heeft Susan mij zelf verteld.'

Susan krijgt een rood hoofd.

'Niet waar,' zegt ze.

Peggy kijkt Susan boos aan. 'Je kan er zelf niks van,' zegt ze kwaad. 'Daarom moet je altijd in het midden lopen. Dan valt het niet zo op.'

Susan gooit het krijtje op de grond.

'Mijn mama zegt dat jij alleen maar voorop mag lopen omdat de baas van de majorettes toevallig ook jouw mama's stinksigarenman is. Ik wil niet meer hinkelen.' En ze loopt boos weg.

'Stomme Fien!' roept Peggy.
'Wat je zegt ben je zelf,' zegt Fien.

Fien loopt langs het huis van Sjoerd. Best jammer dat hij er niet is. Met Sjoerd is het altijd leuk. Als hij niet uit logeren was, hadden ze misschien met zijn auto met afstandsbediening kunnen spelen.

Maar wacht eens, ze kan toch de auto van Bert lenen? Heel eventjes maar. Hij merkt er niks van. Ze rent naar huis en pakt de glimmende, oranje auto met afstandsbediening van de plank boven zijn bed. Wel goed kijken hoe hij ook alweer stond. Bert is heel precies. Hij weet meteen wanneer ze aan zijn spullen heeft gezeten. Tenzij ze ze goed terugzet, natuurlijk.

Met de auto onder haar arm loopt ze naar de hoek van de Transvaalstraat. Het is beter dat niemand haar met de auto ziet.

Samen met de moeder van Sjoerd heeft ze een brief aan Sinterklaas geschreven. Ze wil heel graag een auto met afstandsbediening hebben. Dan kan ze samen met Sjoerd gaan racen. Later wordt ze autocoureur. Dan wordt ze heel rijk en koopt ze het allergrootste piratenschip dat er is.

Ze is nu bij de hoek van de Transvaalstraat. Ze kijkt over haar schouder. De kust is veilig. Voorzichtig zet ze de auto op de stoep.

Op de afstandsbediening zitten allerlei knopjes. Ze drukt op allemaal, tot er een rood lampje gaat branden.

Die is aan, denkt Fien. Ze trekt het hendeltje naar zich toe. De auto schiet naar voren, rijdt de stoep af en stuitert over de weg. Met draaiende wielen blijft hij tegen de stoeprand aan de overkant stilstaan.

Fien denkt na. Ze mag eigenlijk niet oversteken. Maar als ze de auto met de afstandsbediening laat keren, wordt hij misschien overreden. Wat zal Bert dan wel niet zeggen? Het is beter dat ze even oversteekt, de auto oppakt en dan weer terugloopt. Niemand die het merkt. Mama is bij de C1000, papa zit op de bus en Bert is bij Mark.

Ze kijkt of er een auto aankomt en steekt dan snel over. Ze zet eerst de afstandsbediening uit en daarna pakt ze de auto op.

Zo, en nu snel weer terug naar de overkant. Ze kijkt naar links en dan weer naar rechts en dan weer naar links.

Wie loopt daar nou? Dat is de palingmeneer. Dat is lang geleden. Toen de palingmevrouw doodging, ging hij naar het verzorgingshuis.

'Palingmeneer!' roept Fien. 'Ik ben het, Fien!'

De palingmeneer loopt door. Zou hij haar wel gehoord hebben? Misschien is hij nu net zo doof als oma. Die heeft een apparaatje in haar oor.

Fien rent achter de palingmeneer aan. Hij slaat een zijstraat in.

'Palingmeneer!' gilt Fien. 'Wacht op mij!'

Als ze bij de zijstraat is, loopt hij net weer een andere straat in. Deze straat kent Fien niet. Hier is ze nog nooit geweest.

Nog harder rent ze achter hem aan. Ze kan hem bijna aanraken.

'Palingmeneer,' hijgt Fien. 'Ik ben het, Fien.'

De palingmeneer draait zich om. 'Dag, mevrouw,' zegt hij.

'Dag, meneer de palingmeneer,' zegt Fien lachend. Ze maakt een buiging.

De palingmeneer steekt zijn hand uit. 'Ken ik u? Ik ben op weg naar de dansschool. Daar heb ik met mijn vrouw afgesproken.'

Fien kijkt hem verbaasd aan. Dat kan toch niet? denkt ze. De palingmevrouw is dood. Zou de palingmeneer dat soms vergeten zijn? En hij moet toch ook weten dat ze helemaal geen benen meer had voordat ze doodging? Hoe kun je nu dansen zonder benen?

'Wie bent u eigenlijk?' vraagt de palingmeneer.

Fien kijkt hem aan. Zou hij haar ook al vergeten zijn? Hoe kan dat nou? Ze kwam toch bijna elke dag langs toen de palingmevrouw nog voor het raam zat in haar rolstoel? Haar ogen prikken een beetje.

'Waar ben ik eigenlijk?' vraagt de palingmeneer.

Fien kijkt om zich heen. Ze haalt haar schouders op. Wist ze het maar.

Daar loopt een mevrouw. Fien gaat naar haar toe.

'Ik ben de weg kwijt. Weet u waar de Transvaalstraat is?' vraagt ze.

'Daar ga ik ook naartoe,' zegt de mevrouw. 'Hoe kom je zo'n eind van huis?'

'Dat komt door de auto met afstandsbediening.'

De mevrouw kijkt haar aan.

Fien vertelt verder. 'Ik was met de auto van Bert aan het rijden en toen ging hij naar de overkant. De auto, bedoel ik. En toen zag ik de palingmeneer. Die woonde vroeger met de palingmevrouw. Eerst gingen haar benen dood en toen zijzelf. Maar nou denkt hij dat ze in de danszaal op

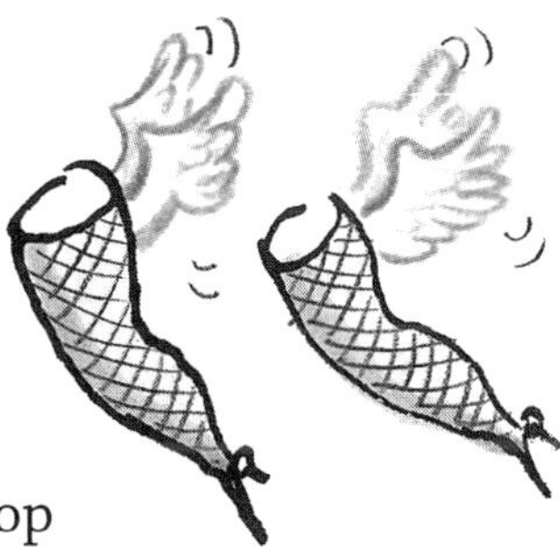

hem zit te wachten. Dat kan toch niet? Ze ligt op de begraafplaats, dat heb ik zelf gezien. Mag de palingmeneer ook meelopen? Mama zegt altijd: als je vergeten bent wat je wilde zeggen, moet je even iets doen wat je deed toen je het wilde zeggen. Misschien weet de palingmeneer alles weer wanneer we bij zijn oude huis zijn.'

'Nou nou,' zegt de mevrouw. 'Dat is een heel verhaal. Kom maar. Waar woont de palingmeneer nu?'

'In het verzorgingshuis De Ankertros,' zegt Fien.

De mevrouw geeft de palingmeneer een arm.

'Waar gaan we naartoe?' vraagt de palingmeneer.

'Naar huis,' antwoordt Fien.

Er komt een lach op zijn gezicht en er druppelt een traan over zijn wang.

'Volgens mij herinnert hij zich iets,' zegt Fien. Ze pakt zijn hand en knijpt erin.

'Dat is mooi,' zegt de mevrouw.

Dan lopen ze met zijn drieën naar de Transvaalstraat.

Fien ligt in bed. Mama zit op de rand.

'Als je oud bent, ga je mij dan ook vergeten? Net zoals de palingmeneer?' vraagt Fien.

'Hoe kom je daar nou bij? Hoe zou ik jou nou kunnen vergeten?'

Fien pakt de drukasbak. Die heeft ze een keer van de palingmeneer gekregen. Ze kijken er samen in.

'Ik zie je wel tien keer,' zegt mama.

'Fien telt voor tien,' zegt Fien eigenwijs.

'Van Fien krijg je nooit genoeg,' zegt mama lachend.

Altijd prijs

Fien zit met een pen in haar mond. Van juf moet ze een gedicht maken. Een rijmgedicht. Fien wil op het blaadje van Peggy kijken, maar die houdt haar arm eromheen.

Stomme Peggy, denkt Fien.

'Wat gaan we met die gedichten doen, juf?' had Fien gevraagd toen juf de schrijfvellen uitdeelde.

'Die hangen we op in de bieb en dan kiest de bieb een winnaar.'

'Wat is de prijs, juf? Mag je zelf iets uitkiezen? Ik wil heel graag een auto met afstandsbediening.'

'De prijs is dat van de winnende gedichten een boek wordt gemaakt,' zei juf.

Fien krijgt een ingeving en begint te schrijven.

Dit gaat over een poes.
De poes is boes.
De hond heet Koes.
Dag hond, dag poes.
Ik ga naar Loes.
Die heeft geen poes.
Dag Loes.
Dag poes.

Als ze klaar is, gaat Fien met haar armen over elkaar zitten.

Juf kijkt op. 'Ben je nu al klaar?'

Fien knikt en brengt het blaadje naar juf.

Juf leest het. 'Wat is boes?' vraagt ze dan.

Fien haalt haar schouders op.

'Boes rijmt op poes,' zegt ze.

'Misschien bedoel je boos?' probeert juf.

'Dan rijmt het niet,' zegt Fien. 'Gedichten moeten rijmen. Dat hebt u zelf gezegd. Wanneer is de prijsuitreiking, juf? Als ik die auto win, kan ik aan Sinterklaas iets anders vragen. Misschien wel een Actionman, die kan dan mooi in de auto zitten. Samen met Sjoerd ga ik wedstrijdje racen met de auto. Misschien word ik later autocoureur. Met autoracen word je heel rijk. Dan hoeft mama niet meer in de koeling van de C1000 te werken en hoeft papa haar handen ook niet meer warm te wrijven.'

Juf kijkt Fien met open mond aan.

'En, wat denkt u, juf?' vraagt Fien. 'Ik win vast wel een prijs, hè?'

'Het is een heel apart gedicht,' zegt juf.

Fien gaat weer naast Peggy zitten. Peggy houdt haar arm nog steeds om haar vel papier.

'Volgens juf win ik zeker de prijs,' zegt Fien tegen Peggy. 'Ik hoef jouw stomme gedicht niet eens te zien.'

Het is twaalf uur en de bel gaat. Fien rent naar buiten.

Daar staan Mark en Bert.

Ze willen weglopen, maar Fien gaat gauw naar hen toe. 'Waar gaan jullie heen?' vraagt ze.

'Vertel ik lekker niet,' zegt Bert.

'Ik ook niet!' roept Mark.

'Dan loop ik gewoon een stukje met jullie mee,' zegt Fien.

'Dat kan niet,' zegt Mark. 'We gaan samen naar de kermis.'

'Leuk,' zegt Fien, 'daar heb ik ook zin in.'

'Maar wij gaan in heel gevaarlijke apparaten,' mompelt Bert.

'Je moeder vindt het vast niet goed dat jij daarin gaat,' zegt Mark tegen Fien.

Fien denkt even na. 'Hebben jij en Bert geld gekregen om te gaan?' vraagt ze dan.

Bert en Mark krijgen een rood hoofd.

Fien gaat tussen de twee jongens in staan. Ze haakt haar armen in die van hen.

'Gezellig,' zegt ze. 'Als ik nu zo tussen jullie in loop, moeten jullie me af en toe omhoogtillen. Dan kan ik leuk met mijn benen zwaaien.'

Bert en Mark zuchten, er zit niets anders op.

Ze steken de weg over en gaan de hoek om. In de verte hoort Fien de kermismuziek.

Als ze bij de kermis komen, ziet Fien een groot piratenschip. Mark en Bert rennen ernaartoe.

'Ik wil er ook in,' zegt Fien.

'Dat kan niet,' zegt Mark.

'Waarom niet?'

'Daarom niet.'

'Daarom is geen reden, als je van de trap af valt, ben je snel beneden. Ik ben een piraat en ik wil in het piratenschip.'

Er komt een man bij hen staan. 'Wat hoor ik? Is hier een piraat die in het piratenschip wil?'

'Heel graag,' zegt Fien.

Naast hem staat een klein jongetje. Hij ziet een beetje bleek.

'Hij heeft te veel suikerspin gegeten,' zegt de man. 'Ik denk dat hij zeeziek gaat worden in die schommelboot. Nou, je valt met je neus in de boter.' Hij geeft Fien het muntje.

'Heel erg bedankt,' zegt Fien glunderend. 'Volgens mij

is het mijn geluksdag. Ik heb vanmorgen misschien ook al een prijs gewonnen.'

Even later zit ze in de boot, tussen Bert en Mark in.

Een jongen doet een stang naar beneden.

'Waarvoor is dat?' vraagt Fien.

'Je wilt toch niet een rondje gaan vliegen?' zegt de jongen.

Fien ziet dat Mark een beetje bleek wordt. 'Ik hou ze allebei goed vast, mijn twee piraatjes,' zegt ze lachend.

'Doe niet zo stom,' zegt Bert. 'Ik ben je kleine baby niet.' Hij schudt zijn arm van haar los.

Dan gaat de boot schommelen.

Fien pakt de stang beet. 'Voor de zekerheid,' zegt ze.

Bert en Mark doen het ook.

'Ahoi!' gilt Fien. 'Enteren!'

De boot gaat steeds hoger en zwaait heen en weer. Kinderen om hen heen gillen hard.

Voordat ze het in de gaten hebben, is het alweer voorbij.

Even later staan ze weer naast het schip.
Fien is een beetje duizelig, net alsof ze zeeziek is.
Bert wijst naar de octopus. 'Mark en ik gaan daarin, met zijn tweeën.'
Fien gaat op een paaltje zitten. 'Ik hoef helemaal niet in de octopus.'
Ze heeft net een ballengooitent gezien.
'Drie worpen, altijd prijs!' gilt een jongen in de tent naar voorbijgangers. 'Drie worpen voor één euro!'
Fien heeft in de voering van haar jas een euro gevonden. Wie weet hebben ze daar een auto met afstandsbediening als prijs.
Ze slentert ernaartoe. De jongen in de tent jongleert met drie ballen.
'Nou?' zegt hij en hij houdt de drie ballen voor haar neus. 'Wat denk je? Word jij vandaag de nieuwe kampioen blikken gooien?'

Fien kijkt naar de prijzen. Er staan radio's bij, poppen met Spaanse jurken, dozen met glimmend bestek, haardrogers, horloges en nog veel meer glimmende dingen.

Te veel om te kiezen. Maar geen auto met afstandsbediening.

Er staat wel een grote pandabeer. Hij is bijna zo groot als zijzelf. Een pandabeer voor één euro is niet duur, denkt Fien. Ze geeft de jongen de euro.

Hij geeft haar drie ballen.

'Daar moet je gaan staan,' zegt hij. 'In één worp eraf! En? Waar ga je voor gooien?'

Fien wijst naar de pandabeer en mikt. De bal maakt een boogje en blijft vlak naast de blikken liggen.

'Geeft niks!' roept de jongen. 'Nog maar een keer.'

Fiens tweede bal gaat nu over de blikken heen.

'Bijna raak,' zegt de jongen. 'Laatste worp voor de hoofdprijs!'

Ja, nog één keer, denkt Fien, en dan kan hij de pandabeer voor me van de plank halen. Ze gooit de laatste bal.

Maar ook deze bal raakt niet een van de blikken.

'Wat kun jij goed richten,' zegt de jongen. 'Net niet raak.' Hij duikt onder de toonbank. 'Wacht, ik zal je prijs pakken.'

In zijn hand houdt hij een bal met een elastiekje. 'Kijk eens,' zegt hij, 'hier is je prijs.'

'Nee hoor, dankjewel,' zegt Fien. 'Ik wil die pandabeer.'
'Ja, dááág,' zegt de jongen. 'Daar moet je alles raak voor gooien en dan niet één keer, maar negen keer.'
'Maar je hebt zelf gezegd: altijd prijs,' zegt Fien boos.
'Ja, en dit is een troostprijs,' antwoordt de jongen.
'Ik wil die bal niet, het is een stomme bal.'
De jongen pakt een bak. Hij kijkt om zich heen. 'Hier, zoek snel iets anders uit.'
Fien ziet een pakje met een piratenooglapje, een rood hoofddoekje en een oorring.

'Die wil ik,' zegt ze.
'Vooruit dan maar,' zegt de jongen. 'Niet verder vertellen, hoor.'

Even later zijn Mark en Bert weer terug.
'Hoe kom je daaraan?' vraagt Bert als Fien hem haar prijs laat zien.
'Gewonnen,' zegt Fien, 'omdat ik zo goed kan richten.'

Een reuzevarken van marsepein

Het is buiten koud en mistig. Fien en Bert lopen naar de bakker. Oma logeert bij hen. Omdat ze niet zo goed kan kauwen met haar kunstgebit, halen ze nu koekjes voor haar die ze in de thee kan dopen.

Fien steekt haar handen diep in haar jaszakken. 'Brrr,' rilt ze.

Vanavond mogen ze hun schoen zetten. Vorig jaar hadden ze de wasmand verstopt, waarin Zwarte Piet altijd de pakjes stopt. Maar op het laatst kregen ze de zenuwen. Stel je voor dat hij hem niet zou vinden?

'Ik verstop helemaal niks dit jaar,' zei Bert daarom pas nog tegen Fien.

'Dat komt omdat jij het niet durft!' riep Fien toen.

'Moet jij zeggen,' zei Bert.

'Jij bent een jongen en jij bent ouder. Je bent een schijtebroek!' gilde Fien.

'Moet ik Sinterklaas een brief schrijven?' zei Bert

daarop. 'Over dat jij mijn Actionman in de wasmachine hebt verstopt en dat mama toen de was is gaan draaien?'

O ja, dat was ze vergeten. En ook dat ze een paar keer met de auto van Bert had gespeeld terwijl dat niet mocht. Het was beter even haar mond te houden. Hopelijk zou Sinterklaas het nooit te weten komen. Misschien zou hij wel net zo vergeetachtig zijn als de palingmeneer. Die was tenslotte al heel erg oud en Sinterklaas was wel tien keer zo oud.

In de verte ziet ze de Jumbo. 'Zullen we even in de etalage kijken?' vraagt ze.

'Ja, maar...' zegt Bert, 'we hadden beloofd snel terug te zijn.'

'Heel eventjes maar,' zegt Fien. 'Misschien hebben ze nieuwe Actionmannen.'

In de etalage is een ruimtevaartschip van lego gebouwd. Twee astronautjes zweven eromheen.

'Die stond niet in de folder van de Jumbo,' zegt Fien. 'Even binnen vragen hoe duur die is.'

Bert hinkt van de ene been op de andere. 'Kunnen we niet naar de bakker? Ik heb het koud.'

Fien heeft de deur van de winkel al opengedaan.

Bij de kassa staan twee meisjes met elkaar te praten. Ze staan met hun rug naar Fien.

'Ik kom voor het ruimteschip,' zegt Fien.

De twee meisjes lijken haar niet horen.

'Hallo!' gilt Fien nu keihard door de winkel.

Een van de meisjes draait zich om. Ze heeft knalrode lippenstift op en zwarte lijntjes om haar ogen. 'Hoor jij iets?' vraagt ze aan het andere meisje achter de kassa. 'Ik dacht dat ik iets hoorde over een ruimtevaartschip.'

'Misschien een inval van marsmannetjes,' grinnikt de ander.

Bert is bij Fien komen staan.

'Kijk nou eens!' roept het eerste meisje. 'Er is er nog eentje bij gekomen.'

'We komen voor het ruimteschip,' herhaalt Fien. 'Hoeveel kost het?'

'Ze kunnen nog praten ook!' Het andere meisje gilt van het lachen. 'Ze spreken onze taal, die marsmannetjes.'

'Kijk naar jezelf,' zegt Fien boos tegen het meisje met de rode lippenstift. 'Je lijkt zelf wel een marsmannetje.'

'Misschien kunnen jullie bij het circus!' roept Bert.

Fien schudt haar hoofd. 'Alle kinderen zouden zich

meteen rot schrikken. Het spookhuis van de kermis is beter, daar is het tenminste donker.'

Een van de kassameisjes wordt nu heel boos. 'Mijn winkel uit!' gilt ze.

Fien en Bert lopen naar de deur.

'Storten jullie maar lekker in elkaar, met het ruimteschip erbij!' gilt Fien nog.

De verkoopster slaat de deur achter hen dicht. Dan horen ze een harde knal in de etalage.

'Rennen!' roept Fien. 'Volgens mij is het ruimteschip geland.'

'Wel jammer,' zegt Bert. 'Maar misschien was het toch te groot.'

Hijgend komen ze aan bij de bakker.

'Zie je dat, Bert?' Fien wijst naar een enorm marsepeinen varken dat in de etalage ligt. 'Wat zou dat kosten?'

Naast het varken ligt een kaartje. *2 euro 50*, staat erop.

'Wel veel geld, hè?' zegt Fien. 'Maar daar heb je wel een heel varken voor. Oma vindt het vast ook wel lekker, want marsepein is heel zacht. Daar hoef je niet op te kauwen.'

'Straks blijft het aan haar gebit plakken,' zegt Bert. 'Dan krijgt ze haar mond niet meer open.'

'We kunnen het voor haar prakken,' antwoordt Fien. 'Kom, laten we hem nu kopen, straks heeft iemand anders hem al gekocht. Ik zie er maar een.'

Ze doen de deur open. Er staan heel veel mensen in de winkel. Fien houdt haar vingers gekruist. Als niemand nu maar het varken koopt. Maar hoe krijgen ze het varken naar huis? Het is best wel groot. Misschien kan Bert straks de kar halen.

Eindelijk zijn ze aan de beurt.

‘Waarmee kan ik jullie helpen?’ vraagt de mevrouw achter de toonbank.

‘Ik wil graag het marsepeinen varken,’ zegt Fien.

‘Hoeveel wil je?’

‘Eén varken is genoeg.’

‘Het hele varken? Weten jullie wel hoeveel dat kost?’

‘Ja,’ roept Bert. ‘Twee euro vijftig.’

De mevrouw achter de toonbank krijgt een rood hoofd. ‘Proberen jullie mij voor de gek te houden?’ Ze haalt het kaartje van het varken. ‘Kijk,’ zegt ze, ‘op het kaartje staat: 2 euro/50 gram.’

'Hoeveel is 50 gram?' vraagt Fien.
De mevrouw wijst naar een nagel van het varken.
'Als je dat eraf snijdt, zie je niet eens dat het een varken is,' zegt Fien teleurgesteld. 'Doet u maar een pakje theebeschuit.'

'Dus geen varken?'
'Hij ziet er toch niet zo lekker uit,' zegt Bert.
'Net alsof hij stinkt,' voegt Fien eraan toe.
'Marsepein blijft ook aan je tanden plakken en dan moet je een kunstgebit,' zegt Bert. Hij trekt een gezicht alsof hij geen tanden heeft.
De mensen in de winkel moeten lachen.
'Hij ziet er inderdaad een beetje raar uit,' zegt een man naar het varken wijzend.
De mevrouw van de winkel begint zenuwachtig te worden. 'Met onze varkens is niets aan de hand. We hebben alleen maar verse varkens.'
Fien wil wat zeggen, maar de mevrouw is bij haar komen staan. 'Moeten jullie niet naar school of zo?'
Ze pakt twee kleine varkentjes uit een mand en drukt die in Fiens handen.

Dan duwt ze Bert en Fien zachtjes naar buiten.
Fien kijkt naar de twee kleine varkentjes in haar hand.
'Nou, hier hoeven we de kar niet voor te halen. We kunnen ze makkelijk zelf dragen. Die passen in een holle kies.'

Flamingodansen

Fien loopt door de Transvaalstraat. Het is woensdagmiddag. Ze trapt tegen een steentje.

Ze is boos omdat mama vanmiddag moet werken terwijl ze met haar naar de stad zou gaan om kleren te kopen.

Ze is boos omdat Bert en Mark van lego raketten aan het bouwen zijn en zij niet mee mocht doen.

'Raketten zijn niets voor meisjes,' had Bert gezegd.

'Pfft, ik word later de eerste vrouw op de maan!' riep Fien toen.

'Op je fiets zeker, met dat vriendje van je,' lachte Bert.

Toen sloeg Fien heel hard de deur dicht en draaide het sleuteltje om.

'Laat ons eruit!' gilden Mark en Bert tegelijk.

'Ik ga het aan mama vertellen, en aan Sinterklaas,' riep Bert vanachter de dichte deur. 'Dan krijg jij dit jaar wéér geen auto met afstandsbediening.'

Fien dacht even na. Ze had drie brieven aan Sinterklaas geschreven en er een plaatje van de auto uit de folder van de Jumbo bij geplakt.

Meester Teun had zelfs ook nog de winkel op internet voor haar opgezocht en het adres op een papiertje geschreven. Als de Jumbo misschien te duur was, kon Sinterklaas de auto op internet kopen. Maar ze had helemaal geen auto met afstandsbediening gekregen. Ze kreeg een stomme vingerverfdoos.

Bert en Mark bonkten op de deur. Langzaam draaide Fien het sleuteltje om en daarna sprong ze met twee treden tegelijk de steile trap af naar beneden. Vlug rende ze naar buiten. Stel je voor dat Mark en Bert achter haar aan kwamen!

Op de hoek van de Transvaalstraat staat een verhuisauto. Fien loopt ernaartoe. De auto staat voor het oude huis van de palingmevrouw en de palingmeneer. Verhuismannen lopen heen en weer met dozen. Bij de deur staat een jongen.

'Hoi,' zegt Fien.

'Hoi,' zegt de jongen.

Hij is donker en heeft mooie zwarte krullen.

'Kom jij hier wonen?' vraagt Fien.

De jongen knikt.

'Ik heet Fien, en jij?'

'Juliano,' antwoordt de jongen.

'Net als de dode moeder van de koningin!' roept Fien.

'Ik ben met een o, de moeder van de koningin is met een a,' zegt Juliano.

'Eerst woonde mijn vriendin hier, de palingmevrouw,' zegt Fien. 'Maar nu is ze dood. Ik heb een vriend die Sjoerd heet.'

'Is die ook dood?' vraagt Juliano.

'Ben je gek, niet iedereen is dood.'

'Gelukkig,' zegt Juliano. 'Ik hou niet zo van dood.'

'Wie houdt daar nu wel van?' zegt Fien. 'Ja, Peggy. Want die heeft een opgezette dode poedel op haar hoofd als ze naar de majorettes gaat.'

Fien hoort een kuchje. In de deuropening staan Peggy en haar moeder.

'Wat moet jij hier?' vraagt Peggy's moeder aan Fien. Ze doet zenuwachtig een sigaret in en uit haar mond.

'Ik sta hier met mijn nieuwe vriend te praten,' zegt Fien.

'Het is míjn vriend!' roept Peggy. 'Ik was het eerst.'

Fien doet net alsof ze de stok van de majorettes omhooggooit.

'Ga jij ook bij de majorettes, net zoals Peggy?' vraagt Fien aan Juliano.

Die doet een sprong naar achter.
'Toevallig zit ik op Spaanse dansles bij zijn moeder,' zegt Peggy. Ze laat trots haar rode schoenen met witte stippen zien. 'Flamingodansen,' zegt ze.
'Flamenco,' zegt haar moeder op zure toon. 'Hoe vaak heb ik dat nou al niet tegen je gezegd?'

Ze pakt Peggy bij haar elleboog beet en trekt haar mee. 'Ik zou maar uitkijken met Fien!' roept ze nog naar Juliano.
Fien wil naar Juliano toe lopen. Hij doet net alsof hij heel bang is. Dan doet hij een brul van een leeuw na. Fien schrikt er een beetje van.
'Je was bang, hè? Ik zag het heus wel.'
'Nee hoor, ik ben nergens bang voor. Ik heb een piratenschip, samen met Sjoerd. Ik ken ook een zeerover. Hij is eigenlijk heel gemeen, maar tegen mij doet hij aardig. Dat komt omdat hij weet dat ik een stoere piraat ben. Later word ik astronaut. En jij?'
Juliano denkt na. 'Autocoureur,' zegt hij trots.
Fien hapt naar adem. 'Dat wilde ik eerst ook, maar toen wilde ik astronaut worden. Maar ik wil ook wel voetbalvrouw worden. Want dan ben je heel rijk en kun je iedere dag naar de kapper en nieuwe kleren kopen. Of naar de

nagelstudio. Dat zegt Irma, die werkt bij mijn moeder op de versafdeling. Haar nicht is verloofd met een voetballer. Dus zij kan het weten.'

Nu hapt Juliano naar adem. Hij doet net alsof hij zijn oren dichtdoet. 'Wat kun jij lang achter elkaar praten, mijn oren zijn helemaal warm.'

'Fien telt voor tien, zegt mijn mama altijd.'

Juliano probeert naar het puntje van zijn neus te kijken, totdat hij scheelziet. 'Ik zie er maar twee.'

'Mag ik jouw kamer zien?' vraagt Fien.

'Ja hoor.' Juliano loopt voor haar uit naar binnen.

Ze gaan de trap op naar boven.

In de kamer staan allemaal dozen. Juliano maakt er een open. 'Kijk eens,' zegt hij blij. In zijn handen houdt hij een fonkelnieuwe, blauwe auto. Precies zo een als Fien wil.

'Mag ik hem even vasthouden?' vraagt ze. 'Sjoerd heeft er ook een, misschien kunnen we een keer met elkaar racen.' Ze steekt haar hand uit. 'Wil je mijn vriend worden?'

'Hebben we dan verkering?' vraagt Juliano angstig.

'Nee, eerst vrienden en daarna gaan we trouwen,' zegt Fien lachend.

'Ik schrok al.' Nu moet Juliano ook lachen. 'Als ik mee mag naar het piratenschip wil ik je vriend worden.'

'Afgesproken,' zegt Fien.

Ze gaan weer naar beneden.

De verhuizers lopen nog steeds met dozen te sjouwen.

'Mag ik even door het raam van de voorkamer kijken?' vraagt Fien.

'Hoezo?' vraagt Juliano.

'Ga daar eens staan,' zegt Fien tegen Juliano. Ze wijst naar de hoek bij de vensterbank. 'Daar zat de palingmevrouw ook altijd en dan keken we samen naar de madeliefjes bij de sloot.' Fien knijpt haar ogen een beetje dicht. Dan doet ze ze weer open.

'Moet je huilen?' vraagt Juliano.

Fien schudt haar hoofd. 'Het is stoffig hier, daar kan ik niet goed tegen.' Ze veegt met haar mouw langs haar ogen.

'Wie hebben we daar?' vraagt een vrouwenstem.

Het is de moeder van Juliano.

'Dit is Fien,' zegt Juliano. 'Ze heeft een piratenschip samen met Sjoerd en ik mag ook mee.'

'Jij boft maar,' zegt zijn moeder.
'Je ziet er helemaal niet uit als een Spaanse danseres,' zegt Fien.
De moeder van Juliano schiet in de lach. 'Moet dat dan?'

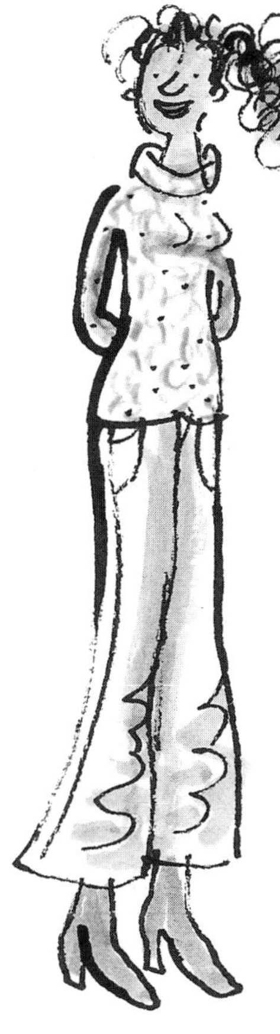

'De palingmevrouw zat ook op dansen,' zegt Fien. 'Samen met de palingmeneer, ze wonnen ook prijzen.' Ze wijst naar de muur bij de deur. 'Daar stonden ze in een kast.'
'Ik geloof dat we in een echt danshuis wonen,' zegt de moeder van Juliano.
'Kun jij me ook flamingodansen leren?' vraagt Fien.
'Als alles uitgepakt is,' zegt de moeder van Juliano.

Als Fien buiten staat, kijkt ze nog even door het raam naar binnen.
Juliano staat vlak achter het raam en kijkt naar buiten. Fien danst als een Spaanse danseres. Juliano tikt tegen

zijn voorhoofd. Fien wijst naar zichzelf en telt daarna met haar vingers tot tien.

Juliano moet lachen. Dan rent Fien naar huis.

'Wat moeten die opa's en oma's nou met al dat snoep? Ze hebben toch geen tanden meer,' klaagt Fien.

Juf zucht. 'Je moet ook eens iets voor een ander overhebben.' Dan loopt ze verder.

Fien zit in de klas op de grond. Ze hangt snoep aan een stok. Aan touwtjes bungelen spekkies, drop, zuurtjes, lolly's en zuurstokken.

Overmorgen is het Palmpasen. Fien en Bert gaan met school in een optocht lopen. Met palmpaasstokken.

'Waarom doen we dit eigenlijk?' vraagt Fien aan juf.

'Het is voor de lente,' zegt juf.

Peggy komt erbij staan. 'Het is voor Jezus en God,' zegt ze.

'Wat moeten die nou met snoep?' vraagt Fien verbaasd.

'Zeg ik lekker niet.' Peggy perst haar lippen op elkaar.

'Hoe kan jij dat trouwens weten?' vraagt Fien.

'Omdat ik gedoopt ben,' antwoordt Peggy, 'in de kerk met water uit een bak.'

‘Ik ben lekker niet gedoopt,’ zegt Fien.

‘Dan kun je ook niet in de hemel komen.’

‘Ik wil helemaal niet bij jou in de hemel, ik ga naar de hemel van de palingmevrouw. Die heeft daar vast haar benen weer terug en dan gaan we lekker voetballen.’

‘Pft,’ zegt Peggy, ‘dat kan daar helemaal niet.’

‘Welles.’

‘Nietes.’

Juf is erbij komen staan. ‘Wat is hier nu weer aan de hand?’

‘Peggy zegt dat je niet kunt voetballen in de hemel. Dat is toch niet zo?’

Juf doet haar armen omhoog. ‘Hoe kan ik dat nou weten?’

‘De palingmeneer heeft dat verteld,’ zegt Fien. ‘Waarom zou ik hem niet geloven? De palingmevrouw is in de hemel, dus hij kan het weten.’

Juf heeft zich alweer omgedraaid. Ze kijkt op haar horloge. 'Jullie hebben nog tien minuten.'

Fien zet haar stok rechtop. Bovenop moet nog een haantje van brood komen. Ze pakt een stoel om erbij te kunnen. Voorzichtig prikt ze het haantje op de stok.

Juf komt erbij staan. 'Heel mooi,' zegt ze. 'Nu moet er nog een kaartje aan hangen, met je naam erop.' Ze helpt Fien met het schrijven van het kaartje en hangt het met een draadje aan de stok.

'Nu is het wel klaar,' zegt juf. 'Zet de stok maar tegen de muur. En denk erom: niet van snoepen, hoor. De stok is voor de bejaarden.'

Fien kijkt even naar haar stok. Best wel jammer van al dat snoep, denkt ze.

Bert steekt zijn hoofd om de deur. 'Waar is jouw stok?' vraagt hij.

Fien wijst.

'Mooi,' zegt Bert. Hij haalt zijn stok op en zet hem erbij. Ook de andere stokken staan tegen de muur. Het ziet er heel vrolijk uit.

'Jammer hè, van al dat snoep,' zegt Bert.

'Het is voor de bejaarden,' zegt Fien. 'Stom hè?'

'Ja,' zegt Bert, 'die spekkies blijven toch maar aan hun tanden plakken.'

'Kijk, Bert.' Fien doet haar lippen over haar tanden. 'Helemaal geen tanden meer.'

'Jongens!' roept juf en ze klapt in haar handen. 'Overmorgen zijn jullie om negen uur precies hier en dan lopen we naar het bejaardenhuis. Dus zorg dat je op tijd bent. Tot dan!'

Fien werpt nog een laatste blik op haar stok. Een spekkie zou best wel lekker zijn...

Het is zondagochtend negen uur. Ze staan allemaal op het schoolplein, ook Fien en Bert.

'Pak snel jullie stokken!' roept juf.

Ze moeten een lange rij maken. Juf staat helemaal vooraan en Fien en Bert sluiten de rij. Dan beginnen ze te lopen. Eerst het schoolplein af en daarna de hoek van de straat om.

'Bert...' Fien stoot haar broer aan. 'Zullen we één spekkie nemen? Niemand die het merkt.'

Bert schudt zijn hoofd.

Honderd meter verder stoot Fien opnieuw Bert aan. 'Eentje maar, joh,' fluistert ze.

Bert twijfelt. 'Goed, eentje dan, maar niet meer, hoor!'

Gauw stoppen ze allebei een spekkie in hun mond. Fien kijkt om zich heen. Niemand heeft het gezien.

Ze zingen met zijn allen een liedje over Palmpasen.

'Bert,' zegt Fien, 'ik heb best wel zin in een dropsleutel.'

Bert kijkt haar even aan. Dan rukt hij gauw de dropsleutel van zijn stok. Fien rukt de hare er ook af. Snel kauwen ze hun dropsleutel op.

Wanneer Fien het laatste stukje heeft doorgeslikt zegt ze: 'Nou hangt er nog maar aan één kant een spekkie. Dat kunnen we maar beter ook opeten, anders valt het zo op.'

Bert knikt. Ze eten snel het laatste spekkie op. En een zuurstok en een lolly. Hun stokken worden leger en leger. Er bungelen alleen nog maar wat zuurtjes aan.

Fien en Bert kijken elkaar even benauwd aan. Straks komen ze bij het bejaardenhuis met hun bijna lege stok, en wat zal juf dan wel zeggen?

Fien begint zich nu toch een beetje zorgen te maken. 'Wat moeten we nou doen? Onze stokken zijn bijna leeg.'

Bert weet het ook niet. 'Als jij niet met eten was begonnen, hadden we gewoon een volle stok gehad,' zegt hij boos.

'Als ik tegen juf zeg dat ik me niet zo lekker voel en dat jij me naar huis moet brengen?' oppert Fien.

Voordat Bert iets kan zeggen geeft Fien haar stok aan hem en loopt naar voren. Ze veegt haar vuurrode zuurstoklippen af aan de rand van haar mouw. 'Juf!' roept ze.

Juf draait zich om. 'Wat is er?'
Fien houdt haar armen voor haar buik. 'Ik voel me niet lekker, juf.'
'Hè,' zegt juf, 'uitgerekend nu.'
'Ik heb zo'n buikpijn, juf. Ik wil naar huis.'
'Ja maar...' Juf aarzelt.
'Mag Bert me brengen? Ik word een beetje misselijk,' zegt Fien snel.
Juf denkt na. De stoet kinderen loopt verder. 'Ja, dat moet dan maar,' zegt ze. 'En jullie stokken?'
'Die geven we aan onze opa en oma,' zegt Fien. 'Dat zijn ook bejaarden.'
Juf haalt haar schouders op. 'Doen jullie voorzichtig?' vraagt ze nog. Dan haalt ze gauw de stoet weer in.

Fien en Bert lopen naar huis. Ze proppen de laatste zuurtjes in hun mond.
Bert wijst naar het haantje van brood.
'Wat doen we daarmee?'
'Dat is voor de eendjes,' zegt Fien. 'Voor de bejaarde eendjes.'

Samen is veel leuker

Fien zit op het bruggetje en haar benen bungelen over de rand. Met een stok maakt ze gaten in het groene kroos. Af en toe springt er een kikker in het water. Aan de overkant ziet ze Bert en Mark lopen. Wat zijn die van plan? Fien springt van de brugleuning en rent achter hen aan.

Bert kijkt achterom als ze hem roept, en begint daarna sneller te lopen.

'Waar gaan jullie naartoe?' vraagt Fien als ze hen heeft ingehaald.

'Zeggen we niet,' antwoordt Bert voordat Mark iets kan zeggen.

'Gaat je niks aan,' zegt Mark.

'Dan loop ik lekker achter jullie aan, dan merk ik vanzelf wat jullie van plan zijn,' zegt Fien.

Bert krijgt een rode kleur. 'Kun je niet met je poppen gaan spelen?' zegt hij.

'Nee, ik wil met jullie mee,' antwoordt Fien.

'Een boomhut is niks voor kleine meisjes!' roept Mark.
Bert kijkt hem boos aan en balt zijn handen tot vuisten.
'Is het een piratenhut?' vraagt Fien.
Mark knikt. 'Het is een piratennest.'
'Piraten hebben geen nesten in bomen. Vogels wel,' antwoordt Fien eigenwijs. 'Ik heb lekker een piratenboot, een schat en een monster die de schat bewaakt.'

'Nou, dan ga jij lekker naar je stomme piratenboot en dan gaan wij naar onze boomhut. Toedeloe,' zegt Bert en hij trekt Mark mee.

'Kijk maar uit dat je niet uit die stomme boomhut valt!' roept Fien hun na.

Ze kijkt naar het grote schoolgebouw, daarachter ligt het schip. Ze is er pas met Sjoerd geweest. Maar alleen is niet zo gezellig. Zeker niet als die grote zwarte hond wakker is. Die hoort bij het volkstuintje aan de overkant van de sloot. Jammer dat Sjoerd bij zijn oma logeert, anders had hij mooi mee gekund.

Daar is het huis van de palingmevrouw. Nou ja, wás het huis van de palingmevrouw. Nu woont Juliano er.

Fien gaat op haar tenen staan, misschien dat ze iets kan zien. Dan hoort ze een kuchje en ze draait zich om.

'Palingmeneer!' roept ze blij.

'Ik ben mijn sleutel kwijt,' zegt de palingmeneer.

'Maar, palingmeneer, je woont hier toch niet meer?' zegt Fien verbaasd.

De palingmeneer kijkt Fien aan. Dan verschijnt er een lachje op zijn gezicht. 'Ik was het even vergeten.'

'Maakt niks uit,' zegt Fien. 'Ik vergeet ook weleens wat.

Kijk.' Ze wijst naar de sloot. In het gras bloeien allemaal madeliefjes. 'Die plukte ik altijd voor de palingmevrouw.'

'Madeliefjes,' fluistert de palingmeneer. 'Ze hield er zoveel van. Ik noemde haar altijd madeliefje.' Opeens kijkt hij op zijn horloge. 'O jee, ik moet opschieten, ik zou met haar naar dansles gaan.'

Fien prikt hem in zijn zij. 'Dan kan toch niet.' Ze wijst omhoog naar de hemel. 'Je weet toch dat ze daar zit?'

De palingmeneer knikt. Uit zijn oog druppelt een traan.

'Buk eens,' zegt Fien. Met haar mouw veegt ze de traan weg.

'Zullen wij samen dansen?' vraagt ze. Ze pakt zijn grote handen beet.

'Graag,' zegt de palingmeneer. 'Alleen is maar alleen. Samen is veel leuker.'

Fien knikt.

Fien en de palingmeneer rusten uit op het trapje bij de voordeur. Ze zijn uitgedanst.

'Ik weet een piratenschip,' zegt Fien. 'Heb je zin om mee te gaan? Er is ook een zeerover en een monster. Ik wilde eerst alleen gaan, maar samen is veel leuker, toch?'

‘Nou en of,’ zegt de palingmeneer.

‘Kom.’ Fien pakt hem bij zijn hand en trekt hem met zich mee.

Even later komen ze bij het hek.

‘Kijk eens wat ik kan,’ zegt Fien. Ze glipt tussen de ijzeren spijlen van het hek door.

‘Je kunt wel bij het circus,’ zegt de palingmeneer.

‘Ik kijk wel uit, ik word autocoureur of de eerste vrouw op de maan.’

De palingmeneer duwt tegen een deurklink in het hek en de deur gaat piepend open.

‘De geheime deur,’ fluistert Fien.

‘Ssst,’ zegt de palingmeneer, ‘niet verder vertellen. Waar moeten we nu naartoe?’

Fien wijst. ‘Daar is het.’

Ze klimmen langs de roestige trap omhoog.
Even later staan ze in de kajuit.
'Mooi hè?' zegt Fien.
De palingmeneer knikt. 'Hiermee kunnen we alle wereldzeeën op, maar hij is wel een beetje lek!' Hij wijst naar een plasje water in de boot.
Fien gaat op de voorplecht staan.
'Ahoi, trossen los. Hier is Ferme Fien, de gruwelijkste piratenvrouw, en Paling Piraat, de schrik van de zee.'
De palingmeneer is erbij komen staan. 'Sieraden, zilver en goud inleveren, hier ermee. En gauw een beetje.'
'Je geld of je leven!' gilt Fien erachteraan.
'Ahum,' horen ze iemand achter hen zeggen.
Fien en de palingmeneer draaien zich om.
'De vreselijke zeerover,' kreunt Fien.
'Buskruit, kogels en rum, weg met de verstekelingen!' roept de palingmeneer.
'U bent hier op verboden terrein,' zegt de zeerover met de enorme zwarte baard.
'Dit is haar piratenschip,' zegt de palingmeneer en hij wijst naar Fien.
Fien is een beetje achter de palingmeneer gaan staan.
'Hoe komt u daar nu bij?' zegt de zeerover een beetje

boos. ‘Dit schip is van de school hierachter.’

‘Dat heeft Fien mij zelf verteld,’ antwoordt de palingmeneer.

‘Zo hoor je nog eens wat,’ bromt de zeerover. ‘Maar toevallig ben ik de bewaker van het terrein en er mag hier niemand komen. Dat hek is er niet voor niks.’

‘Maar waar is de schat dan?’ vraagt de palinmeneer. ‘En het grote zwarte harige monster?’

‘Bent u daar niet wat te groot voor?’ zegt de zeerover. ‘U moet echt van die boot af.’

Beneden blaft een hond.

De palingmeneer krimpt in elkaar. Hij wijst met trillende vingers. Met zijn armen over elkaar gaat hij zitten. ‘Eerst moet dat monster weg,’ zegt hij.

De zeerover tikt met zijn vinger tegen zijn voorhoofd. Hij wil aan de arm van de palingmeneer trekken. Maar Fien gaat tussen hen in staan.

‘Hij kan er niks aan doen. De palingmevrouw was eerst haar benen kwijt. En nu is de palingmeneer zijn geheugen kwijt.’

De zeerover schudt zijn hoofd, alsof hij het allemaal niet kan volgen.

Fien vertelt hem over de palingmevrouw. Dat Trees van

het Leger des Heils de palingmeneer naar het verzorgingshuis heeft gebracht. Maar dat de palingmeneer alles vergeet.

De zwarte zeerover knikt een paar keer.

'Hij wilde vandaag met de palingmevrouw naar dansles,' zegt Fien. 'Maar dat kan niet. Toen heb ik met hem gedanst. En toen dacht ik: misschien kunnen we wel samen piraat spelen omdat Sjoerd er niet is. Samen is leuker dan alleen.'

De zeerover knikt opnieuw. Hij fluit naar de grote zwarte hond, die braaf gaat liggen.

'Van dat piratengedoe krijg je best wel honger, hè?' De zeerover wijst naar het houten huisje aan de overkant van de sloot. Tussen de auto-onderdelen kringelt een rookpluimpje. 'Wat denken jullie ervan? Ik had al een vuurtje aangemaakt om wat worstjes te grillen. Zouden jullie ook een worstje lusten?'

Fien en de palingmeneer knikken.

'Ik wou ze eerst allemaal in mijn eentje opeten,' zegt de zeerover, 'maar samen is veel leuker dan alleen.'

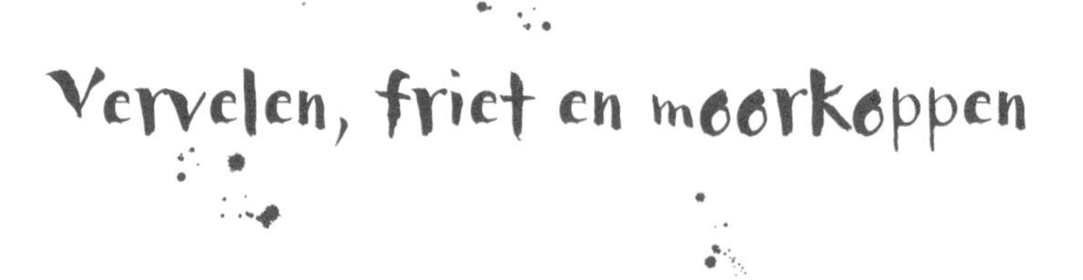

Vervelen, friet en moorkoppen

Fien logeert bij Sjoerd. Bert slaapt bij Mark.

Papa en mama zijn een weekend weg met z'n tweeën.

Fien loopt met Sjoerd door de Transvaalstraat. Bij de tijdschriftenwinkel staat Peggy. Ze heeft een witte muts op en ze draagt witte laarsjes en een oranje jurkje.

'Kom,' zegt Fien, 'even kijken wat ze van plan is.'

'Hoi,' zegt Fien tegen Peggy. 'Wat ga je doen?'

'We hebben generale repetitie van de majorettes. Voor Koninginnedag. Ik mag vooroplopen en ik krijg straks een lekkere zak met friet.'

De sigarenman komt samen met de moeder van Peggy naar buiten. Hij wijst naar

Fien. 'Misschien dat jullie ergens anders kunnen rondhangen.'

'Poeh,' zegt Fien, 'de straat is ook van ons, hoor.'

'Hup!' zegt de man. 'Zoek maar een andere plek.'

Peggy steekt haar tong naar hen uit.

'Poedel!' gillen Sjoerd en Fien tegelijk.

Peggy wordt meegetrokken door haar moeder.

'Nou,' zegt de sigarenman tegen Fien en Sjoerd. 'Komt er nog wat van?'

Fien en Sjoerd slenteren weg. Fien draait zich nog even om. 'Uw winkel stinkt,' zegt ze.

'Ja,' roept Sjoerd, 'u hebt een vieze stinkwinkel. Die rook is heel slecht en daarom gaan we weg.'

Ze lopen de straat uit.

'Hé Sjoerd,' zegt Fien, 'ik heb ook wel zin in een zak met friet.'

'Mmm, lekker. Heb jij geld dan?'

'Ik heb maar tien cent.'

'Nou, dan kunnen we moeilijk friet kopen.'

Opeens zijn ze zomaar bij de snackbar. De frietgeur komt hun tegemoet.

'Laten we maar snel doorlopen,' zegt Sjoerd, 'we kunnen toch niks kopen.'

Fien blijft voor de snackbar staan. 'Ik weet wat. Laten we tegen voorbijgangers zeggen dat we friet mochten kopen, maar dat we van onze moeder net tien cent te weinig hebben meegekregen. Als we zo nou een paar keer tien cent vragen, kunnen we een zak friet kopen.'

'Dat is bedelen,' zegt Sjoerd.

'Nee hoor,' zegt Fien. 'Bedelen is als je geen geld hebt. Wij hebben wel geld, alleen hebben we het niet bij ons omdat het in de spaarpot zit.'

'Maar we kunnen toch naar jouw huis gaan en het geld uit de spaarpot halen?'

Fien schudt haar hoofd. 'Dat is voor de auto met afstandsbediening.' Ze loopt naar een man.

'Meneer, we mochten van mijn moeder een zak friet kopen, maar nou heeft ze ons elk tien cent te weinig gegeven.'

De man voelt even in zijn zak. 'Hier,' zegt hij.

'Kijk eens!' gilt Fien als de man weg is. 'Kijk eens hoe

gemakkelijk het gaat? Ik heb al twintig cent. Nou ben jij aan de beurt.'

'Ik weet het niet, hoor...' zegt Sjoerd aarzelend.

'Dan krijg je ook geen friet.'

Sjoerd kijkt om zich heen. Verderop loopt een vrouw. Ze duwt een kinderwagen met een tweeling erin. Een van de baby's laat een speen vallen. Sjoerd loopt ernaartoe en raapt de speen op. 'Alstublieft, mevrouw. Mag ik u iets vragen? Onze moeder heeft ons twintig cent te weinig gegeven voor een frietje.'

De vrouw lacht. Ze geeft een euro. 'Hier, dan kun je met mayonaise nemen.'

Sjoerd loopt naar Fien. Hij laat de euro zien.

'Zie je wel hoe makkelijk het gaat?' Fien rent alweer naar een andere voorbijganger.

'Hoeveel hebben we nou?' vraagt Sjoerd, nadat ze een poosje om beurten geld hebben gevraagd.

Ze tellen het geld. Ze hebben genoeg voor twee zakken friet, met mayonaise.

'Twee friet met,' zegt Sjoerd in de snackbar en hij legt het geld op de toonbank.

Even later lopen ze naar buiten met hun zakken friet.

Ze gaan op het bruggetje zitten en eten de frietjes op.

'Mmm, lekker hè?' Fien veegt het zout en de mayonaise van haar mond.

Als de frietjes op zijn, graait Fien in haar zak. 'We hebben nog geld over. Zullen we een frikadel nemen?'
'Mmm,' zegt Sjoerd.
Ze rennen naar de snackbar.
'Met uitjes, mayo en ketchup?' vraagt de man van de snackbar.
'Ja,' antwoordt Fien.

De frikadel is op.
Ze lopen langs de bakker. Fien blijft voor de etalage kijken. Ze wijst naar de moorkoppen met slagroom.
'Sjoerd, zullen we nog even wat geld vragen voor moorkoppen?'
'Ik weet het niet, hoor...'
Maar Fien is alweer naar iemand toe gelopen.
'Ik heb meteen om vijftig cent gevraagd,' zegt ze als ze Sjoerd het muntje laat zien. 'Dan gaat het wat sneller.'
Even later hebben ze ook genoeg voor ieder een moorkop.

Ze zitten bij de zandbak.
'Ik klap uit elkaar,' zegt Sjoerd.
'Hè bah!' roept Fien. 'Dat geeft zo'n rotzooi.'
Ze moeten lachen.

Fien zit bij Sjoerd thuis op de bank. Ze heeft kramp in haar buik en is een beetje misselijk. Sjoerd ziet ook een beetje bleek.

'Ik heb niet zo'n zin om te koken vanavond,' zegt Sjoerds mama als ze thuiskomt. 'Ik moest de hele dag van hot naar her lopen.'

Ze pakt haar portemonnee en wil Fien en Sjoerd geld geven. 'Hier,' zegt ze, 'als jullie nou eens even naar de snackbar lopen. Ik kan bijna niet meer op mijn benen staan.'

Fien en Sjoerd kijken elkaar aan. 'Ik kan ook bijna niet meer op mijn benen staan,' zegt Fien.

'Nee,' zegt Sjoerd, 'wij hebben de hele dag al gelopen.'

'Ik heb eigenlijk helemaal geen zin in friet,' zegt Fien. 'Een boterham is ook wel lekker. Zullen Sjoerd en ik samen brood smeren?'

'In dat geval stop ik het geld terug in mijn portemonnee. Het is eigenlijk wel goed voor mijn vetrolletjes, en voor jullie is het ook gezonder.'

'Nou en of!' roept Fien.

Zo goed als nieuw

Fien heeft voorjaarsvakantie. Op de kast bij het raam staat een kooi met daarin de duif van school. Ze mag op hem passen van juf. Samen met Bert heeft ze de kooi op de kar gezet. Toen zijn ze naar huis gereden.

Het was bijna niet doorgegaan.

'Weet je het wel zeker, Fien?' vroeg juf nog. 'Vorig jaar is het met de plant niet zo goed afgelopen.'

Vorig jaar in de zomervakantie had Fien voor een plant gezorgd.

Na twee weken had ze Sjoerd de plant laten zien.

'Sjoerd,' had ze gezegd, 'de plant doet heel erg raar. Er zitten allemaal gele blaadjes aan.'

Sjoerd keek naar de plant. ‘Hij is verzopen,’ zei hij met een ernstig gezicht.

‘Hoe kan een plant nou verdrinken?’ vroeg Fien lachend. Met haar armen maakte ze zwemmende bewegingen. ‘Moeten planten ook al op zwemles?’

‘Ja,’ zei Sjoerd, ‘en ook op reddend zwemmen. Je hebt hem gewoon te veel water gegeven. Daar gaan ze dood van.’

‘Wat moeten we nou doen? Ik kan juf geen dooie plant teruggeven.’

‘Misschien als je het water eruit giet,’ zei Sjoerd toen, ‘gaat hij het weer doen. Als je de gele blaadjes eraf plukt, komen er vast nieuwe blaadjes aan. Dat doet mijn mama ook altijd. Die heeft groene vingers, zegt ze.’

Fien trok een gek gezicht. ‘Groene vingers, is ze ziek of zo?’

‘Nee, ze verandert ’s avonds in een groene slijmzombie,’ antwoordde Sjoerd.

Elke dag trok Fien de gele blaadjes eraf. De plant werd steeds kaler.

‘Wat is er met die plant?’ vroeg haar vader. ‘Er zit bijna geen blad meer aan. Het lijkt wel herfst.’

‘Dat doet dit soort planten altijd,’ antwoordde Fien. ‘Die vallen een paar keer per jaar uit.’

'Hoe weet je dat?' vroeg haar vader.
'Omdat ik toevallig van planten groene vingers krijg.'
'O,' zei haar vader, 'als je die dan maar goed wast. Je moeder houdt niet zo van groene vegen op de meubels.'

'Wat is er met die plant gebeurd?' vroeg juf toen Fien hem op de eerste dag na de vakantie weer had teruggebracht. 'Er zit bijna geen blaadje meer aan.'
'Papa zegt dat de herfst heel vroeg begint dit jaar,' zei Fien.

Het had heel veel moeite gekost om de duif mee te krijgen.

'Pliessss, juf, pliesssss. Bert helpt ook mee.'
'Ja, maar de plant...' begon juf weer.
'Een duif is toch geen plant, juf. Duiven kunnen niet uitvallen, want die hebben geen blaadjes. Duiven zijn echt veel makkelijker. De buurman heeft ook duiven. Hij heeft een hok op het dak. Die kan ik altijd vragen mij te

helpen. Misschien mag de duif wel bij zijn duiven op bezoek. Dat is gezellig voor de duif.'

'De duif blijft in zijn kooi en hij gaat niet bij de duiven van de buurman op bezoek. Beloof je dat?' zei juf streng.

'Dat beloof ik,' zei Fien.

'Goed, dan mag je het nog één keer proberen.'

Fien zit bij het raam. Het is een sombere dag.

'Hoe lang blijft die stinkduif nog?' vroeg haar vader vanmorgen.

Ook haar moeder kneep haar neus dicht toen ze langs de kooi liep. 'Ik ben blij als de vakantie weer achter de rug is,' zei ze nog. 'Dan is die duif tenminste weer weg. Wat kan zo'n beest stinken. We moeten vanavond de kooi maar schoonmaken.'

Fien blaast op het raam. Met een vinger tekent ze een gezicht op de beslagen ruit.

Dan ziet ze Sjoerd lopen.

Ze rent naar het balkon. Als ze buiten staat, fluit ze op haar vingers.

Sjoerd schrikt, hij botst bijna tegen een lantaarnpaal op.
'Heb je weer last van je luie oog?' roept Fien.
'Ik heb helemaal geen lui oog meer, mijn lapje is er al lang vanaf!' roept Sjoerd naar boven.
'Wat ga je doen?' vraagt Fien.
'Koffie halen voor mama.'
'Wil je mijn vogel zien?'
'Heb je dan een vogel?'
'Een heel zeldzame wilde vogel. Kom je nou?'
Sjoerd twijfelt. 'Ik moet eigenlijk koffie halen.'
'Je durft zeker niet, je bent vast bang voor mijn vreselijke vleesetende roofvogel.'
Sjoerd denkt na. 'Heel even dan.'

Fien gooit gauw een doek over de kooi. Dan gaat de bel, en niet veel later staan Fien en Sjoerd bij de kooi.
'Waarom ligt er een doek overheen?' vraagt Sjoerd.
'Hij kan niet goed tegen daglicht,' antwoordt Fien.
Vanonder de doek begint de duif te koeren.
'Ik hoor een duif,' zegt Sjoerd. 'Het is gewoon een duffe duif.'
'Ssst,' fluistert Fien. 'Overdag is het een duif. 's Avonds wordt het een verschrikkelijk roofdier. Ik durf mijn hand

in de kooi te steken, en jij?'

'Doe jij maar eerst,' zegt Sjoerd.

Hij doet een stapje naar achteren en Fien opent onder de doek de kooi. Voorzichtig steekt ze haar hand in de kooi.

'Zo,' zegt ze, 'nu moet jij.'

Sjoerd komt bij de kooi staan. Net op het moment dat hij zijn hand voorzichtig onder de doek steekt, geeft Fien een gil. 'Kijk uit voor de roofvogel!'

Sjoerd schrikt er zo van dat hij tegen de tafel valt, en de kooi dendert op de grond. Voor ze weten wat er gebeurt, zien ze de duif door de kamer vliegen. Af en toe botst hij tegen het raam.

'We moeten hem vangen!' gilt Fien. 'Houd de duif, houd de duif.'

Maar de duif weet elke keer te ontsnappen.

'Hoe krijgen we hem te pakken?' roept Fien. 'Kom hier, stom beest.'

Maar de duif blijft tegen het raam botsen.
Door de tocht zwaait de balkondeur open.
Fien wil naar de deur rennen om hem dicht te doen. Maar ze is te laat. De duif verdwijnt door de openstaande deur naar buiten.
'Weg duif,' verzucht Sjoerd. 'Het was toch een duif?'
Fien knikt. 'Hij was van school en ik mocht op hem passen. Ik denk niet dat ik ooit nog op iets mag passen van juf,' zegt ze somber.
Sjoerd kijkt door het raam. 'We hebben een nieuwe duif nodig. Jouw juf ziet toch het verschil niet. Alle duiven lijken op elkaar. We moet alleen weten waar we er een kunnen halen.'
Er verschijnt een lachje op Fiens gezicht. Ze wijst naar boven.
Sjoerd kijkt haar verbaasd aan.
'Op het dak,' zegt ze. 'We vragen er een bij de buurman, die heeft er toch heel veel.'
Ze rennen naar boven en Fien opent het dakluik. Even later staan ze bij de buurman. Die is bezig het hok schoon te maken.
'Komen jullie naar de jonge duifjes kijken?' vraagt hij. 'Ik heb er heel veel dit jaar. Waar laat ik ze allemaal?'

'Mag ik een duif?' vraagt Fien meteen.
'Vindt je moeder dat dan goed?'
Fien schudt haar hoofd. 'Het is voor op school, onze duif is weggevlogen. De school heeft geen geld voor een nieuwe duif.'
'De school is heel erg arm,' zegt Sjoerd er gauw achteraan.
Fien doet alsof ze een traan wegwrijft met de mouw van haar trui.
De buurman denkt even na. 'Ik kan er wel eentje missen.' Hij pakt een duif en stopt hem in een lege schoenendoos met gaatjes erin. 'Deze legt al een hele tijd geen eitjes meer, neem deze maar mee.'

'Wat heb je goed op de duif gepast,' zegt juf de eerste schooldag. 'Hij glimt helemaal mooi.'
'Als nieuw,' zegt Fien.

Lang leve Juliano

Het is Koninginnedag. Sjoerd haalt Fien op. Hij heeft zijn blokfluit bij zich.

'Wat ga je met die blokfluit doen?' vraagt Fien.

'Ik ga spelen op het Celebesplein,' zegt Sjoerd. 'Ik zet een bakje op de stoep en dan ga ik heel veel geld verdienen.'

'Juliano komt ook,' zegt Fien.

'Wie is Juliano?' vraagt Sjoerd.

'Die is hier pas komen wonen in het oude huis van de palingmevrouw en de palingmeneer. De moeder van Juliano geeft dansles. Flamingodansen.'

'Is Juliano je nieuwe vriend?' vraagt Sjoerd.

Fien knikt. 'Hij heet bijna net als de moeder van de koningin, maar dan met een o. Daarom is het voor hem ook een beetje feest. Koning Julianodag.'

Op dat moment komt Juliano aangelopen.

'Hoi!' roept Fien. 'Gefeliciteerd.'

'Met wie?'

'Met de koningin, natuurlijk.'

'Ze is niet eens jarig vandaag,' bromt Sjoerd.

'Hoi,' zegt Juliano tegen Sjoerd.

'Hoi,' zegt Sjoerd.

'Juliano is ook een piraat,' zegt Fien. 'Een piraat van de Kariben.'

'Kari-wat?' vraagt Sjoerd.

'Een tropisch eiland met kokosnoten waar het stikt van de piraten. Dat heb ik gezien op een dvd van papa. Misschien kunnen Juliano en ik flamingodansen als jij muziek maakt.'

'Kun je dan flamingodansen?' vraagt Sjoerd.

'Net zo goed als jij kunt blokfluiten,' zegt Fien.

'Ik heb een drumstel,' vertelt Juliano enthousiast. 'Zal ik dat ophalen?'

Fien springt op en neer. 'Leve de koningin, leve Juliano.'

'Straks hoort niemand mijn blokfluit,' zegt Sjoerd snel.
Maar Fien is al naar boven gerend.

Even later is ze terug. In haar haren heeft ze een plastic roos gestoken. Van de kermis had ze het zwarte ooglapje nog. Onder haar arm houdt ze de rode beddensprei van haar vader en moeder. Uit haar broekzak pakt ze een zwarte viltstift.

'Kom,' zegt ze tegen Sjoerd. Ze tekent een stoppelbaardje. Bij Juliano doet ze hetzelfde. Dan doet ze bij zichzelf het ooglapje voor. 'Ten aanval!' roept ze. 'Opzij voor de dansende piraten van de Kariben.'

'Krijgt zij altijd haar zin?' vraagt Juliano aan Sjoerd.

'Ja, altijd,' zegt Sjoerd.

'Maar wíj zijn met meer!' roept Juliano.

'Nee hoor,' zegt Fien. 'Want Fien telt voor tien.'

Even later staan ze met de onderdelen van het drumstel in hun armen bij het Celebesplein.

Daar staat de fanfare klaar om op te treden.

De sigarenmeneer is er ook. Hij staat aan het hoofd van de fanfare.

Zijn grote witte berenmuts staat op een stoel.

'Als je piraat wilt worden, moet je wel een test doen,'

zegt Fien tegen Juliano. 'Sjoerd heeft ook de test gedaan en hij is geslaagd.'

'En jij?' vraagt Juliano.

'Ik was de eerste piraat. Dus ik hoefde geen test te doen.'

'Wat moet ik dan doen?' vraagt Juliano.

Fien geeft hem de zwarte viltstift en wijst naar de berenmuts.

'Nee toch,' fluistert Juliano.

'Jawel,' zegt Fien. 'Zo gemakkelijk word je geen piraat.'

'Klopt,' zegt Sjoerd. 'Het is heel moeilijk om piraat te worden. Niet iedereen kan dat.'

'Kom,' zegt Fien tegen Sjoerd. 'We gaan de sigarenmeneer afleiden.'

Ze lopen naar hem toe.

'Sigarenmeneer?' vraagt Fien. 'We willen iets vragen.'

De sigarenmeneer draait zich om. 'Nee, ik heb echt geen tijd. Kan het een andere keer?'

'Nee,' zegt Fien. 'Het heeft grote haast. Mijn vriend Sjoerd wil bij de fanfare. Laat maar iets horen op je blokfluit, Sjoerd.'

Sjoerd blaast een paar noten.

'Wat denkt u, mooi hè? Ik hoorde dat Peggy van de

majorettes af is. Misschien kan ik dan in haar plaats.'

'Nee, nee,' zegt de sigarenmeneer gehaast. 'Er is een enorme wachtlijst en dat geldt ook voor blokfluiten. Heel jammer voor jullie, het spijt me.' Met grote passen loopt hij snel weg.

'Heb je het gedaan?' vraagt Fien even later aan Juliano.

Juliano knikt.

Het fanfarekorps stelt zich op. De sigarenmeneer gaat gewichtig aan het hoofd staan, met zijn gezicht naar de fanfare gekeerd. Zijn muts houdt hij onder zijn ene arm en de zilveren stok met de bal aan het einde onder zijn andere arm.

Hij zet zijn muts op en begint dan achteruit te lopen.

De mensen in het publiek lachen als ze de achterkant van de muts zien.

Op de muts is het gezicht van een piraat met een grote snor en een mond met halve tanden getekend.

Sommige mensen wijzen naar hun voorhoofd. De sigarenmeneer krijgt een rood hoofd van boosheid.

Hij struikelt bijna over zijn lange benen.

'Je muts!' roept een meisje uit het publiek. 'Het is je muts.'

De sigarenmeneer draait zich om en dan beginnen ook de leden van de fanfare te lachen.

'Ben ik nu een piraat?' vraagt Juliano.

'Bijna,' antwoordt Fien. 'Sjoerd en ik moeten eerst nog even stemmen.'

Sjoerd knikt. 'En je moet het piratenschip met een tandenborstel schoonmaken.'

Fien ziet de grote ogen van Juliano.

'Geintje,' zegt ze.

Fien neemt Sjoerd even apart. 'Hier spreekt de vreselijke piratenvrouw, de koningin van alle piraten van de Kariben. Als er iemand tegen is, moet hij nu zijn hand opsteken, of voor altijd verrotten op de bodem van de zee en worden opgegeten door slangen, haaien en kariben.'

'Waartegen?' vraagt Sjoerd.

'Tegen Juliano, dat hij geen piraat mag worden.'

'Moet dat? Met zijn tweeën is toch al leuk?'

'Hoe meer piraten, hoe meer avonturen,' zegt Fien.

'En als het niet bevalt?' vraagt Sjoerd.

'Dan stemmen we opnieuw.'

'Afgesproken,' zegt Sjoerd.

De fanfare is weg.

Juliano heeft zijn drumstel in elkaar gezet. En Fien heeft zich verkleed als Spaanse flamingodanseres.

Dan begint Juliano te trommelen en Sjoerd fluit er keihard vals doorheen.

'Olé,' zingt Fien. 'Olé, we zijn de piraten van de Kariben.'

De duivenmeneer is erbij komen staan, met Janny van de groentezaak. Ze hebben allebei een accordeon om hun schouders.

'Als we jullie nou betalen om niet te zingen en te spelen?' zegt de duivenmeneer lachend. 'Wat vinden jullie daarvan? Jullie zingen en spelen echt heel erg vals.'

'We zijn valse piraten!' roept Fien.

'Valse piraten lusten vast wel een ijsje,' zegt de duivenmeneer. 'Als jullie nou een ijsje gaan halen, dan mogen jullie ons zo helpen met het verkopen van dansnummers. Mensen kunnen dan tegen betaling op een liedje van de accordeon dansen.'

Fien kijkt Sjoerd en Juliano aan. Die knikken.

Even later verkopen ze het ene dansnummer na het andere. De mama en papa van Fien, de moeder van Sjoerd, ze kopen allemaal een dansnummer.

Daar is meester Teun.
'Koopt u ook een dansnummer van mij?' vraagt Fien.
Meester Teun pakt zijn portemonnee. 'Alleen als je met mij gaat dansen.'
'Vooruit,' zegt Fien.
Dan dansen ze over het plein. Ze zwieren langs Fiens vader en moeder.
'Kijk eens, papa!' roept Fien. 'Dat is meester Teun van de mooie truien.'
'Je bent me er een,' zegt meester Teun lachend.
Fien steekt haar handen omhoog. 'Niet één, maar tien!' roept ze. 'Fien telt voor tien.'

De duivenrace

Fien zit in de portiek voor haar huis. Het is warm, veel te warm. De duivenmeneer loopt langs. Het zweet loopt over zijn gezicht.

'Joehoe!' roept Fien. 'Warm hè?'

'Wat je zegt, de mussen vallen van het dak.'

Fien kijkt omhoog. 'De duiven bedoelt u.'

'Ik hoop het niet,' zegt de duivenmeneer. 'Morgen is er een wedstrijd.'

'Hoezo?' vraagt Fien. 'Gaan ze racen?'

'Zoiets,' zegt de duivenmeneer.

'Mag ik mee? En Sjoerd en Juliano ook? Wij zijn gek op racen. We willen later autocoureur worden, dan worden we heel rijk. Kun je met duivenracen ook rijk worden?'

'Daar gaat alleen maar geld in zitten,' verzucht de duivenmeneer.

'Mogen we mee?' vraagt Fien nog een keer.
'Als ze het bij jullie thuis goedvinden.'
'Ik ga het meteen vragen,' zegt Fien.

Fien staat bij de deur van Sjoerd. Ze belt drie keer aan.
Sjoerd komt naar buiten. 'Hoi,' zegt hij.
'Hoi,' zegt Fien. 'Ga je morgen mee naar de duivenrace?'
Sjoerd kijkt haar vragend aan. 'Wat is dat?'
'Nou, we gaan eerst met de duivenmeneer een stukje rijden. Daarna laat hij de duiven vrij en dan doen we wie het eerste thuis is.'
'Moeten we dan rennen?'
'Jij en Juliano wel, ik ga met de auto.'
'Moet dat?' vraagt Sjoerd.
'Wat? Dat jij en Juliano moeten rennen?'
'Nee, ik bedoel: moet Juliano mee?'
'Hoezo?'
'Nou gewoon, wij zijn toch vrienden.'
'Ben je jaloers?' vraagt Fien. 'Ik kan toch met jullie allebei gaan? Piraten zijn toch met alle piraten bevriend? Piraten helpen elkaar. Een goede piraat geeft het goede voorbeeld. Dat is het eerste waar een piraat aan denkt. Dat staat op nummer een van de lijst van piratenregels.'

'Dus ik ben piraat één?' zegt Sjoerd.
'Nee, piraat twee. Ik ben al piraat één. Want ik was het eerst piraat. En ik heb het schip ontdekt. Juliano is piraat drie.'
'Altijd?'
Fien knikt. 'Tenzij piraat drie natuurlijk iets doet waardoor hij piraat twee wordt.'
'Wat dan?'
Fien denkt na, en zegt dan: 'Door heel ver naar de overkant van de sloot te spugen, een glaasje kikkerdril te drinken, belletje te trekken bij de sigarenman en de majorettemuts van Peggy roze te verven.'
'Allemaal tegelijk?' vraagt Sjoerd verbaasd.
'Ja,' zegt Fien.
'Hoe kun je nummer één worden?'
'Nooit, nummer één ben je, of je bent het niet. En ik ben het al, want ik was de eerste. Ga je nou mee morgen?'
'Goed,' zegt Sjoerd. 'Maar niks tegen Juliano zeggen, hoor.'
'Dat je jaloers was?'
Sjoerd schudt zijn hoofd. 'Ik was helemaal niet jaloers. Maar als hij niet weet dat hij nummer drie is, gaat hij ook niet proberen nummer twee te worden.'

'Afgesproken,' zegt Fien. 'Kom, dan gaan we nu naar Juliano.'

Bij het huis van Juliano staat Trees. Ze heeft het pak van het Leger des Heils aan.

Wat moet die nou weer? denkt Fien. 'Gaat het leger weer aanvallen?' vraagt ze.

Trees kijkt haar boos aan. 'Ik ga naar je moeder, hoor. Ik heb geen zin in die grapjes van je.'

De moeder van Juliano komt naar buiten gelopen en zegt tegen Trees: 'Hij was hier een uur geleden en toen is hij weer weggegaan.'

'Wie?' vraagt Fien.

'Kleine meisjes die vragen, worden overgeslagen,' antwoordt Trees. 'Meneer Sapij loopt elke dag weg,' zegt ze dan klagend tegen Juliano's moeder. 'Laatst wou hij al met de trein naar de pannenkoekenboerderij.'

Fien bemoeit zich er weer mee. 'Misschien verveelt hij zich. Wie wil er nou de hele dag sjoelbakken? De palingmeneer verveelt zich gewoon.'

De telefoon van Trees gaat. Ze neemt op en luistert naar de stem aan de andere kant.

'Waar was hij nou weer? Bij de Jumbo?' zegt ze dan. 'Wacht, ik kom eraan.'

'Het gaat nou wel erg hard,' hoort Fien Trees zeggen tegen Juliano's moeder. 'Hij heeft een speelgoedauto met afstandsbediening gekocht.'

Fien voelt een steek in haar hart. Zou de palingmeneer die voor haar hebben gekocht? Als dat eens waar kon zijn...

Met ferme stappen loopt Trees naar haar auto.

Fien draait zich om naar Sjoerd. 'Er gaat nog een vierde piraat mee naar de duivenrace,' fluistert ze.

'Wie wordt dan piraat nummer vier?' vraagt Sjoerd.

'Ssst,' zegt Fien. 'Het leger mag er niet achter komen.'

'Ik weet genoeg,' zegt Sjoerd.

Fien, Sjoerd en Juliano staan voor het bejaardenhuis.

'Ik ga nu naar binnen,' zegt Fien. 'Kijken jullie of Trees niet op de loer ligt?'

'Straks gaat ze ons ook gevangennemen!' roept Sjoerd.
Fien loopt naar binnen. Achter een hoge balie zit een mevrouw.
'Mag ik vragen wat je hier komt doen?' vraagt de mevrouw.
'Ja hoor.' Fien wil doorlopen.
De vrouw komt achter de balie vandaan. 'Ik heb nog geen antwoord gekregen,' zegt ze bits.
'Nou en?' vraagt Fien.
'Vind jij jezelf niet een klein beetje brutaal?'
'Nee hoor,' antwoordt Fien.
'Je mag er niet in,' zegt de mevrouw.
'Van wie niet?'
'Gaat je niks aan,' zegt de mevrouw.
'O nee? Dan ga ik gillen,' zegt Fien. 'Dan ga ik net zolang heel hard gillen tot iedereen hier wakker is.'
Er komen een paar oude mensen met rollators om hen heen staan.
Fien doet alsof ze huilt. 'Ik mag niet naar mijn opa van haar.'
De oude mensen gaan zich er nu ook mee bemoeien.
Fien glipt er snel tussenuit. Ze komt in een lange gang. Daar loopt een verpleegster.

'Ik zoek mijnheer Sapij,' zegt Fien.
'Weet hij dat je komt?' vraagt de verpleegster.
'Het is een verrassing,' antwoordt Fien.
'Kom maar mee,' zegt de verpleegster.
Ze komen bij een kamer. De verpleegster opent de deur. Op een stoel bij het raam zit de palingmeneer.
'Meneer Sapij,' zegt de verpleegster, 'kijk eens wie hier is?'
De palingmeneer kijkt naar Fien. Het is net alsof hij niet weet wie ze is.

‘Ik ben het!’ roept Fien. ‘Je weet wel, Fien.’

Maar de palingmeneer herkent haar niet.

‘Hij heeft een slechte dag vandaag,’ verzucht de verpleegster. ‘Misschien weet hij morgen wel wie je bent.’

‘Gisteren wist hij het nog wel,’ zegt Fien.

‘Hoe weet je dat?’ vraagt de verpleegster.

‘Toen heeft hij bij de Jumbo een auto met afstandsbediening gekocht.’

‘Wacht,’ zegt de verpleegster. Even later komt ze terug met een plastic tas van de Jumbo. In de zak zit een doos met een auto met afstandsbediening. ‘Ik was het helemaal vergeten,’ zegt ze. ‘Kijk, er zit een kaartje bij.’

Fien draait het kaartje om. *Voor mijn vriendin Fien*, staat erop.

‘Hij had gisteren een heel goede dag,’ zegt Fien. Ze loopt naar de palingmeneer toe en slaat haar armen om hem heen. Ze geeft hem een zoen op zijn wang. ‘Dankjewel, lieve palingmeneer, ik ga je nooit vergeten.’

Even later staat ze buiten. Binnen staat nog een groepje ruzie te maken met de mevrouw van de balie.

'Kijk,' zegt Fien. Ze laat Sjoerd en Juliano de doos met de auto zien.

'Nou ben je ook autocoureur,' zegt Sjoerd. 'Maar ik ben nummer één, Juliano is nummer twee en jij nummer drie. Jij hebt als laatste een auto gekregen.'

'Dat zullen we nog wel zien,' zegt Fien. 'Als ik win, ben ik nummer één.'

'Echt niet!' gillen Sjoerd en Juliano.

'Echt wel!' roept Fien terug. 'Want ik ben Fien en ik tel voor tien.'

'Wat doen we nou met die duivenrace?' vraagt Juliano.

Fien kijkt naar haar auto. 'Zullen we doen alsof we het vergeten waren?'

Man gezocht

Sjoerd mag bij Fien logeren. De mama van Sjoerd moet voor de krant werken. Fien en Sjoerd hebben twee matrassen op de grond gelegd. Ze liggen naast elkaar.

'Nou is het net of we getrouwd zijn,' zegt Fien.

'Hou op!' Sjoerd steekt twee vingers in zijn oren.

'Schat, doe jij de lamp even uit,' zegt Fien lachend. 'Ik heb de hele dag al in de koeling gestaan, mijn voeten zijn net twee ijsklompjes. Wrijf jij ze even warm?'

'Doe het zelf,' zegt Sjoerd.

'Mijn papa wrijft altijd de handen en voeten van mijn mama warm,' zegt Fien. 'Dat komt door de koeling.'

'Hoezo?' vraagt Sjoerd.

'Nou, als mama de hele dag in de koelcel heeft gestaan, is ze net een ijsmama. Dan maakt papa haar weer warm. Jouw mama heeft niemand om haar warm te maken.’

‘Mijn mama werkt niet in de koelcel.’

‘Wil jouw mama geen man meer?’

‘Best wel, toevallig is ze lid van internet.’

‘Kun je daar dan mannen kopen?’

Sjoerd knikt. ‘Maar ze bevallen nooit zo goed, zegt mama. Dat zei ze tegen de buurvrouw. Die wilde er ook al een van internet. De buurvrouw zegt dat ze in het echt altijd tegenvallen. Ik wil geen papa van internet.’

‘Misschien moeten we je mama helpen met zoeken,’ stelt Fien voor. ‘Wie weet vinden we er een die niet tegenvalt.’

Sjoerd gaapt.

‘Zal ik nog een heel eng verhaal vertellen?’ vraagt Fien. ‘Over een zeerover, een piraat en een reuzeninktvis?’

‘Liever niet,’ zegt Sjoerd. ‘Zullen we morgenochtend een griezelverhaal doen? Ik vind griezelverhalen leuker bij het wakker worden.’ Hij draait zich om om te gaan slapen.

‘Krijg ik geen nachtkus?’ vraagt Fien.
‘Toedeledokie,’ zegt Sjoerd.
‘Morgen gaan we op jacht,’ zegt Fien.
‘Waarnaar?’ vraagt Sjoerd.
‘Een nieuwe man,’ zegt Fien.

Sjoerd voelt een por in zijn zij.
‘Wakker worden!’ gilt Fien. Ze heeft een schrift in haar hand.
Sjoerd wrijft in zijn ogen. ‘Wat is er?’
‘We moeten een lijst maken,’ zegt Fien.
‘Waarvan?’
‘Van mannen voor jouw mama. Hoe moet hij eruitzien?’
Sjoerd staart voor zich uit. ‘Hij mag geen buik hebben. Mama zei laatst dat ze oom Jan wel leuk vond, maar eerst moet zijn buik eraf.’
‘Kan hij niet afvallen?’ vraagt Fien, druk schrijvend in haar schriftje. ‘Als hij afvalt, zijn we klaar.’
‘Hij ruikt uit zijn mond,’ zegt Sjoerd.
‘Naar stinksigaretten?’
‘Ja.’ Sjoerd knikt.
Fien scheurt het blaadje met de naam van oom Jan

erop uit het schrift. 'Oom Jan doet niet meer mee,' zegt ze.
'Gelukkig!' roept Sjoerd.
Fien schrijft weer in het schrift. 'Hij mag dus geen buik hebben. Mijn papa heeft ook een buik. Mama zegt dat hij op een nijlpaard gaat lijken. Hoe moet de nieuwe papa er verder uitzien?'
'Als een filmster,' zegt Sjoerd. 'Mama zegt dat altijd als ze televisiekijkt. Haar zus wil er ook wel een, met een strik eromheen.'
Fien trekt een vies gezicht. 'Je wilt toch geen papa met een strik?'
'Alsjeblieft niet,' zegt Sjoerd.
Fien schrijft weer in haar schrift. 'Weet je ook welke filmster?'
'Nee,' antwoordt Sjoerd. 'Het maakt niet uit, als hij maar op een filmster lijkt.'
'Huisdieren?' vraagt Fien.
'Liever niet, mama kan niet tegen de haren.'
'Moet hij kaal zijn?'
'Het huisdier?'
'Nee, de nieuwe papa.'
Sjoerd denkt weer even na. 'Als je papa wordt, word je vanzelf kaal.'

'Denk je dat hun haren daarvan uitvallen?' vraagt Fien, die ijverig in haar schrift schrijft.

'Geen ochtendhumeur,' voegt Sjoerd er nog aan toe.

Fien schrijft alles op. Als ze klaar is, zegt ze: 'Dan kunnen we nu een poster maken.'

'En dan?' vraagt Sjoerd.

'Dan hangen we hem op.'

'Waar dan? Toch niet op bomen zoals mensen doen als ze hun kat kwijt zijn?'

Fien denkt na. 'Het moet op een plek hangen waar veel mensen komen. Misschien bij de C1000? Daar komen veel mensen. Bij het kopieerapparaat kun je een blaadje ophangen als je iets wilt verkopen.'

Fien loopt de kamer uit en komt even later terug met de *Privé*. Ze gaat achter haar tafeltje zitten en knipt een gezicht uit het tijdschrift en even later het lichaam van een andere man.

Sjoerd komt erbij staan.

Fien plakt alles op een groot vel. 'Zo goed?' vraagt ze.

Het hoofd van een filmster is geplakt op het lichaam van een zwemkampioen.

'Hij heeft in ieder geval geen buikje,' zegt Sjoerd.

Fien pakt een potlood en schrijft in grote letters op de poster:

CH
GEZO~~G~~T:
EEN LEUKE PAPA.
DUN. MOET OP EEN FILMSTER LIJKEN.
MET HAAR EN TANDEN.
KAN VOETBALLEN. MAG NIET STINKEN!!!

Fien leest de tekst hardop voor.

'Als nou iemand wil?' vraagt Sjoerd. 'Hoe moet hij dat dan laten weten?'

Fien denkt even na. 'We laten ze een brief schrijven.'

'Naar wie?' vraagt Sjoerd. 'Ik weet niet of mijn mama

het wel leuk vindt als ze haar brieven gaan sturen.'
'Tja,' zegt Fien, 'het moet wel een verrassing blijven. Misschien kunnen we beter geen brief laten schrijven.'
'Wat moeten we dan doen?'
'We zeggen gewoon dat hij op woensdag om vier uur bij het kopieerapparaat van de C1000 moet staan.'
Fien schrijft het op de poster.

Het is woensdag. Fien en Sjoerd staan achter de paal bij het kopieerapparaat.
Een mevrouw is aan het kopiëren.
'Ze moet daar weg,' fluistert Fien. 'Straks denken de mannen dat zij het is, dan rennen ze zo weg.'
Fien loopt naar haar toe. 'Hoe lang moet u nog?'
De vrouw kijkt haar nijdig aan. 'Wat gaat jou dat aan? Ik was hier eerst.'
Fien hoort Sjoerd roepen. Hij wijst met trillende vinger. Daar staat de sigarenman. Hij heeft een pak aan en kijkt om zich heen.
'Straks komt hij voor de poster,' fluistert Sjoerd.
Fien rilt. 'Zal ik het hem vragen?'
'Als je dat maar laat,' sist Sjoerd. 'Daar komt ook de duivenmeneer. Zou hij ook de poster gezien hebben?'

Er staat nu al een hele rij mannen te wachten bij de machine.

'Ik wil ze niet hebben, hoor,' zegt Sjoerd.

'Nog niet voor niks,' zegt Fien.

'In nog geen duizend miljoen jaar!' roept Sjoerd.

Ze lopen naar buiten.

'Misschien is zo'n poster toch niet zo'n goed idee,' zegt Fien.

'We kunnen beter iets anders verzinnen,' antwoordt Sjoerd.

Ze zitten op het bruggetje.

'Wat zullen we nou doen?' vraagt Fien.

Dan klinkt er een fietsbel. Ze draaien zich om. Het is meester Teun. Fien loopt naar hem toe. 'Was u in de buurt, moet u ergens zijn? Bij de C1000 of zo?'

Meester Teun lacht. 'Jij bent helemaal niet nieuwsgierig, hè? Kun je een geheim bewaren?'

Fien knikt.

'Ik ook,' zegt meester Teun.

'Mogen we achterop?' vraagt Fien.

‘Een andere keer,’ zegt meester Teun.
Ze kijken hem na als hij wegfietst.
‘Misschien gaat hij naar de C1000,’ zegt Fien. ‘Mama vindt dat hij mooie truien aanheeft. Ik denk dat jouw mama dat ook wel vindt.’
‘Weet je dat zeker?’ vraagt Sjoerd.
‘Ja,’ zegt Fien. ‘Mijn mama zegt dat alle mama’s wel bij meester Teun in de klas willen zitten.’

Een geluk bij een ongeluk

Fien, Juliano en Bert lopen naar school. Op het schoolplein staan twee bussen. Vandaag gaan ze op schoolreis.

'Waar gaan we naartoe, juf?' vroeg Fien gisteren toen juf over het schoolreisje vertelde.

'Dat is een verrassing,' zei juf toen.

'Ik weet het lekker wel,' vertelde Peggy in de pauze op het schoolplein. 'Mijn oom heeft het me verteld.'

Fien verslikte zich bijna. Dat was ze vergeten: de oom van Peggy is met de juf getrouwd.

'Ik weet het toevallig ook, hoor,' zei Fien. 'Maar ik heb juf beloofd dat ik het niet verder zal vertellen. Ik mag achter in de bus zitten en jij niet.'

'Hoe weet jij dat we naar de dierentuin gaan?' vroeg Peggy boos.

'Mag ik niet verder vertellen,' zei Fien.

'Ik wil ook op de achterbank!' riep Peggy toen.

'Dat kan niet,' antwoordde Fien. 'Die is al helemaal bezet.'

'Ik ga het tegen juf zeggen.' Peggy wilde al naar binnen stormen.

'Dan ga ik zeggen dat je hebt verklapt waar wij morgen naartoe gaan.'

'Stomme Fien!' riep Peggy nijdig.

Fien stak snel haar tong uit.

Ze komen bij het schoolplein aan. Juf loopt zenuwachtig met een vel papier rond.

'Mogen we al in de bus, juf?' vraagt Fien.

'Nog niet, Fien. Even doen wat je gezegd wordt. Anders wordt het een grote puinhoop.'

Bert is bij Mark gaan staan.

Fien trekt Juliano bij zijn arm. 'Laten we alvast bij de bus gaan staan.'

'Welke bus?' vraagt Juliano.

Er staan twee bussen op het schoolplein. Peggy staat bij een van de bussen.

'Die bus is het,' zegt Fien beslist en ze lopen ernaartoe.

'Ik was eerst,' zegt Peggy. 'Juf heeft jou helemaal niet beloofd dat je achterin mag zitten. Mijn mama gaat mee en die gaat ook achterin zitten.'

Fien kijkt benauwd. 'Kijk maar uit dat je niet wagenziek wordt. Bussen slingeren altijd.'

'Helemaal niet!' roept Peggy.

'Je moet het zelf weten,' zegt Fien. 'Juliano wordt ook altijd misselijk, maar die heeft een pilletje geslikt.'

'Ik ben nooit misselijk...' begint Juliano.

Fien geeft hem gauw een duwtje zodat hij zijn mond houdt.

'Jawel!' roept Fien. 'Bij oude bussen heb je daar last van. Dat heb je me zelf verteld.'

'O ja!' roept Juliano. 'Ik was het vergeten. Laatst had ik er weer last van en toen moest ik in een zakje overgeven.'

'En hoe lang was je ziek?' vraagt Fien.

Juliano denkt even na. 'Een hele week en elke keer voelde ik de bus weer hobbelen en moest ik naar de wc.'

'Alsjeblieft,' zegt Fien tegen Peggy. 'Ga jij maar lekker achterin zitten en hopelijk geef je niet over op de witte broek van je moeder.'

De moeder van Peggy komt aangelopen. Ze heeft net als juf een vel papier in haar hand.

'Ik ga mee als begeleider,' zegt ze tegen Fien. 'Helaas zit je in mijn groepje.'

'We kunnen zo ruilen, hoor,' biedt Fien aan. 'Misschien dat iemand anders het heel leuk vindt om bij u in het groepje te zitten. Juliano en ik vinden het helemaal niet erg om naar een ander groepje te gaan, hè Juliano?'

Juliano knikt. 'Helemaal niet erg,' zegt hij.

'Dan kunnen wij lekker bij de chauffeur zitten,' gaat Fien verder. 'En zingen door de microfoon.'

'Geen sprake van,' zegt de moeder van Peggy. 'Ik ben begeleider en ik ga voorin met Peggy.'

Op dat moment komt juf naar de bus. Ze telt de kinderen.

'Ik heb me verteld,' zegt ze. 'Er zijn twee kinderen te veel voor deze bus.'

Fien springt naar voren. 'Juliano en ik willen wel naar de andere bus, hoor.'

Juf kijkt de moeder van Peggy aan. 'Vindt u het erg als ze van groep verhuizen?'

De moeder van Peggy neemt een lange trek van haar sigaret. 'Helemaal niet,' zegt ze terwijl ze de rook uitblaast.

'Wij ook niet!' roept Fien. 'Kom.' Ze trekt Juliano mee aan zijn arm naar de andere bus. 'Dan kunnen we misschien toch op de keetbank zitten.'

'De keetbank?' vraagt Juliano.

Fien knikt. 'Op de achterbank kun je lekker keten.'

'Leuk,' zegt Juliano.

Er staat al een hele rij kinderen te wachten bij de andere bus. Bert en Mark staan helemaal vooraan.

'Joehoe.' Fien zwaait. 'We gaan met jullie mee.'

'Nee hè!' kreunt Bert.

'Echt wel,' zegt Fien.

Daar is meester Teun.
'Hoi, meester Teun, we gaan met jou mee,' zegt Fien.
'Top,' zegt meester Teun.
'We willen graag naast Bert en Mark zitten,' gaat Fien verder. 'Juliano heeft heel erg last van heimwee, dus dan kan hij beter naast Bert en mij zitten. Ons kent hij, anders gaat hij de hele weg huilen.'
'Ik heb helemaal geen heimwee,' zegt Juliano.
'Welles.'
'Nietes.'
'Hou je mond,' fluistert Fien tegen Juliano. 'Zo komen we nooit achterin.' En dan op harde toon tegen meester Teun: 'Hij schaamt zich ervoor.'
'Jullie kunnen ook bij mij voorin komen zitten,' zegt meester Teun.
'We hebben last van wagenziekte voor in de bus.'
'Maar dat heb je toch juist achter in de bus?' vraagt meester Teun verbaasd.
'We hebben een heel zeldzame wagenziekte, daar zijn zelfs geen pilletjes tegen.'
'In dat geval...' zegt meester Teun. Maar voordat hij zijn zin kan afmaken, heeft Fien Juliano al naar voren geduwd. Ze staan bij Bert en Mark.

'We moeten van meester Teun bij jullie op de achterbank,' zegt Fien.

Dan gaan de deuren van de bus open.

Fien probeert als eerste in de bus te komen en struikelt in het gangpad. Ze probeert op te staan, maar zakt door haar voet als ze een pijnscheut voelt.

'Au!' roept ze. De tranen schieten haar in de ogen. Ze kan bijna niet op haar voet staan.

Meester Teun is bij haar komen staan. 'Laat je voet eens zien.' Hij kijkt een beetje bezorgd. 'We zullen even naar het ziekenhuis moeten gaan.'

'En het schoolreisje dan?'

'Dat moet dan maar vast zonder ons beginnen,' zegt meester Teun.

Ze zijn in het ziekenhuis. De dokter van de EHBO heeft de röntgenfoto bekeken.

'Er is gelukkig niks gebroken,' zegt hij. Hij doet een verband om Fiens enkel. 'De komende dagen rustig aan doen, hè.'

'Moet ik nou in een karretje?' vraagt Fien.

De dokter lacht. 'Je kunt gaan oefenen voor het kampioenschap hinkelen.'

Even later loopt Fien met meester Teun door de lange gang naar buiten.

Daar staat Trees.

'Joehoe!' roept Fien. Ze hinkelt naar haar toe.

Trees kijkt nog ernstiger dan ze normaal al doet.

'Heeft de palingmeneer zijn geheugen alweer terug?' vraagt Fien.

Trees schudt haar hoofd. 'Ik heb net afscheid genomen van de palingmeneer.'

'Is hij verhuisd?' vraagt Fien.

'Een soort van verhuizing,' zegt Trees. Ze wijst naar boven.

'Woont hij nu hier? Kan ik hem opzoeken?' vraagt Fien.

Trees schudt haar hoofd. 'Meneer Sapij heeft ons verlaten.'

'Misschien is hij naar de Jumbo,' zegt Fien. 'Ik hinkel er zo naartoe, hoor.'

'Ik bedoel te zeggen, dat meneer Sapij is heengegaan. Zeg maar overleden,' zegt Trees.

'Waarom zeg je dat dan niet meteen?' zegt Fien. 'Ik weet heus wel wat dood is, hoor.' Ze wrijft een traan uit haar ogen.

'Ben je erg verdrietig?' vraagt meester Teun, die er ook bij is komen staan.

Fien knikt. 'Maar ik ben ook blij voor de paling-mevrouw. Nou kan hij haar helpen om haar benen te zoeken en zij hem om zijn geheugen terug te vinden. Dan kunnen ze voor altijd met elkaar dansen.'

Fien zit met meester Teun in de ijssalon. Het is te laat om nog met het schoolreisje mee te gaan.

'Een geluk bij een ongeluk. Ik heb mijn voet bezeerd en nou zit ik met jou ijs te eten. De palingmeneer is dood, maar hij is nu weer bij de palingmevrouw,' zegt Fien.

'Zo zie je maar,' zegt meester Teun.

'Je zou best een leuke papa zijn,' zegt Fien.

'Maar je hebt toch al een leuke papa?'

'Jawel, maar Sjoerd is mijn vriend en die heeft geen papa. We zoeken nog een man voor zijn mama. Misschien vind jij Sjoerds mama leuk.'

Meester Teun lacht verlegen. Hij kijkt door het raam.

Fien denkt even na. 'Misschien heeft Sjoerd nog een leuke oom, dat kan ook, hoor. Niks erg.' Dan lacht ze. 'Dat is dan een geluk voor de oom en een ongeluk voor de mama van Sjoerd.'

In de hoofdrol

Juf klapt in haar handen. Meester Teun zit achter de piano.

Alle kinderen uit de groep van Fien staan op het podium. Ze moeten in een rij gaan staan. Fien kijkt boos om zich heen.

Juf heeft een musical geschreven. Eerst vond Fien dat nog wel leuk en hoopte ze dat ze de hoofdrol zou krijgen. Juf vertelde er drie weken geleden over.

'Hoe heet die musical dan?' had Fien gevraagd.

'De Spaanse danseres,' vertelde juf toen. 'Meester Teun maakt de muziek.'

‘Komt er ook een uitvoering voor publiek?’ vroeg Fien.

‘Jazeker,’ zei juf.

‘Mag ik de hoofdrol?’

‘Kun je dan Spaans dansen?’

Peggy hield het niet meer. ‘Juf, ze kan er niks van. Ze heeft geeneens dansschoenen en ik wel. Mama maakt een heel mooie jurk voor mij. Dan kan ik aan wedstrijden meedoen. Mama zegt dat ik ga winnen. Mag ik de hoofdrol, juf?’

‘Zeker net als bij de majorettes,’ zegt Fien. ‘Je moest in het midden staan zodat niemand je kon zien. Ik zag het zelf bij de opening van de nieuwe C1000. Je liet elke keer de stok uit je handen vallen.’

Juf kijkt Fien boos aan. ‘Dat is niet zo aardig van je, Fien,’ zegt ze. ‘Iedereen mag meedoen. We kijken over drie weken wie het beste kan dansen en die krijgt de hoofdrol.’

Fien staat in de woonkamer. Ze houdt de stofzuigerstang tegen zich aan. Voorzichtig doet ze een stapje en dan nog een.

Eén-twee-drie, telt ze en dan maakt ze een draai. De slang van de stofzuiger zit nog aan de stofzuiger vast. De stofzuiger draait de rondjes mee. Eén-twee-drie, telt ze weer. Ze heeft het geruite tafellaken om haar middel gebonden en een sjaal van haar moeder hangt om haar schouders.

Ze heeft al een paar keer met de moeder van Juliano geoefend, want Juliano en Sjoerd wilden niet met haar oefenen.

'Piraten doen niet aan flamingodansen,' zei Sjoerd.

'Bij ons wordt al de hele dag gedanst!' riep Juliano. 'Mag ik ook eens vrij zijn?'

'Toevallig ben ik de baas van het piratenschip. Ik kan ook heus wel alleen dansen, hoor.'

'Fijn,' zei Sjoerd. 'Dan hoeven wij het gelukkig niet.'

Fien had even op haar lip gebeten. 'Jullie zijn geen echte piraten. Een echte piraat danst de hele dag.'

'Hoe weet jij dat nou?' vroeg Juliano.

'Dat komt omdat ik wel een echte piraat ben en jullie niet. Mijn papa is er ook een. Mijn mama zegt zelf dat hij een wegpiraat is.'

Toen was ze naar huis gegaan en nu staat ze met de stofzuiger te dansen.

'Eén-twee-drie,' zingt ze hardop. 'Eén-twee-drie, olé.'

De hoofdrol is voor haar, zeker weten. Ze houdt haar ogen dicht en gooit haar hoofd naar achteren. Net als op de dvd die ze bij de moeder van Juliano heeft bekeken.

Ze houdt de stofzuigerstang stevig omarmd.

Bert en Mark zijn bij de deuropening komen staan.

'Dancing queen,' zingt Bert.

'Je nieuwe vriend?' vraagt Mark, terwijl hij naar de stofzuiger wijst.

Fien krijgt een rood hoofd.

Bert en Mark dansen nu om haar heen.

'Ga je meedoen met *Dancing with the stars*?' vraagt Bert lachend.

'Toevallig krijg ik de hoofdrol in de musical,' zegt Fien boos.

'Je gaat toch niet zingen, hè?' vraagt Bert. Hij stopt een vinger in elk oor. 'Pliesss!' roept hij. 'Pliessss, doe het niet. Of was je lekker de boel aan het opruimen?'

Fien kookt nu van woede. Dan ziet ze in de hoek de puzzel waar Bert al een week mee bezig is. Ze steekt de stekker in het stopcontact en drukt met haar voet op de knop van de stofzuiger.

'Zo,' zegt ze terwijl ze de stang boven de puzzel houdt. 'Ik zie rommel. Opgeruimd staat netjes.'

Dan zet ze de stofzuiger weer uit.

Gauw rent ze naar boven, naar haar kamer. Bert keek opeens wel heel erg boos...

Fien is op weg naar school. Vandaag hoort ze wie de hoofdrol krijgt. Was het maar zover, dan kon ze naar huis rennen om het te vertellen.

In haar tas zitten de zwarte lakschoentjes die ze vorig jaar heeft gekregen. Het zijn niet van die rode met witte stippen die Peggy heeft, maar toch zijn het dansschoenen.

Op het plein staat Juliano. 'Hoi!' roept hij. Uit zijn tas haalt hij een zwarte lap, die hij uitrolt. Er staat een wit doodshoofd op. 'Voor op het piratenschip,' zegt hij. 'Zullen we er vanmiddag naartoe gaan?'

Hij haalt ook drie ooglapjes uit zijn tas. 'Mooi hè?'

Fien knikt.

'Sjoerd wil vast ook mee,' zegt Juliano.

Fien is het dansen al vergeten. 'Als ik de kapitein mag zijn,' zegt ze.

'Jij mag de baas zijn. Als we maar niet hoeven te dansen.'

'O, da's waar ook. Ik kan vanmiddag niet,' zegt Fien. 'Ik moet flamingodansen. Voor de musical.'

'Jammer,' zegt Juliano. 'Misschien kan ik alleen met Sjoerd gaan.'

Fien voelt een steek in haar buik. 'Toch ga ik dansen,' zegt ze. 'Ik wil de hoofdrol.'

‘Op het schip ben je de hoofdpiraat,’ zegt Juliano. ‘Dan heb je toch ook de hoofdrol?’

‘Nee, dat is niet hetzelfde,’ zegt Fien en ze loopt naar binnen.

Fien staat op het podium. Peggy is al geweest. Nu is zij aan de beurt. Ze is de laatste.

Meester Teun zit achter de piano.

Fien doet haar ogen dicht. Ze heeft de sjaal om haar middel geknoopt.

‘Eén-twee-drie,’ telt meester Teun.

Fien doet haar stapjes. Ze draait en draait en wil olé roepen. Maar dan glijdt ze uit en voor ze het weet ligt ze languit op de vloer.

‘Mooi gevallen!’ roept meester Teun.

Fien kan er niet om lachen.

Juf klapt in haar handen. ‘Meester Teun en ik gaan even vergaderen en dan komen we zo terug. Dan vertellen we wie het geworden is.’

Ze staan allemaal op het podium.

Juf neemt het woord. 'Het goede nieuws is, dat iedereen een rol heeft. Iedereen is belangrijk in deze musical. Maar er kan er maar één de echte hoofdrol hebben. En dat is Peggy.'

'Ik wist het,' juicht Peggy. 'Ik wist het.'

Fien kan wel ontploffen van boosheid. Ze was vast niet uitgegleden als ze dezelfde schoenen als Peggy had gehad.

Juf klapt weer in haar handen. Ze moeten in een rij gaan staan. Peggy mag in het midden. Ze moeten in een cirkel om haar heen dansen.

Bekijk het maar, denkt Fien. Ze hinkt op één been naar het midden van het podium.

'Wat is er, Fien?' vraagt juf. 'Voetbalknieën, griep, eksterogen?'

'Het is mijn enkel, door het uitglijden. Mama heeft ook

zwakke enkels. Oma ook. Oma kan al bijna niet meer lopen. Misschien kan iemand anders mijn hoofdrol nemen.'

Fien laat zich van het podium zakken en hinkt dan weg. Als ze buiten is, kijkt ze even achterom om te zien of iemand haar ziet. Daarna rent ze snel naar het piratenschip.

Ze ziet de hoofden van Sjoerd en Juliano boven de rand uit steken. De piratenvlag wappert in de mast.

'Ahoi! Hier is de vreselijke piratenkoningin. Ruik ik goud en juwelen? Ruik ik gemene zeerovers? Denken jullie zonder mij weg te kunnen varen?'

'Fien!' roept Sjoerd blij. 'Je bent weer terug. Doe je weer mee met ons?'

'En hoeven we niet meer te dansen?' vraagt Juliano benauwd.

'Nee, jullie hoeven niet te dansen. Als jullie maar doen wat ik zeg. Want ik heb de hoofdrol.'